U0095933

戰爭孕育英雄，也製造怪物。

火藥法師

❷ The Crimson Campaign

緋紅戰爭

〔下〕

The Powder Mage Trilogy

布萊恩・麥克蘭——著　戚建邦——譯

Brian McClellan

火藥法師 2 緋紅戰爭・下

目次

24

洪氾平原下游出現了一隊騎兵，位於湯瑪士西側。他們頭盔上的羽飾在風中輕輕搖晃，儘管腳下都是霧氣，坐騎的步伐還是充滿自信。

湯瑪士舉起望遠鏡觀察敵軍。

軍官都在隊伍前面，掛著紅肩章，大聲下令，高舉長劍。白痴。

對岸某處傳出來福槍聲。片刻後，一名凱斯軍官應聲落馬。

他們不疾不徐地前進，彷彿只是在進行閱兵演習。湯瑪士的火藥法師繼續開槍，胸甲騎兵紛紛墜馬，但隊伍仍在持續往前。

「長官，這種天氣可能會弄濕火藥。」歐蘭說著，抬頭看向烏雲。

湯瑪士回應：「不會下雨。」

「濕氣很重，長官。這陣霧很奇怪，沒見過霧會這麼快就從山上吹過來。」

「因為霧是禱告的結果。」

湯瑪士聽見胡恩朵拉森林裡傳來號角聲，於是轉向南方。洪氾平原對面半哩左右出現動靜，那裡是幾個小時前湯瑪士的步兵還在砍樹拖向營區的位置。

重裝騎兵衝出森林。

湯瑪士感到呼吸卡在喉嚨。非常多的騎兵。

他這輩子大概只見過這種規模的騎兵陣容三次，每一次他都在這些騎兵之中，而敵人則在他們面前潰敗。那些戰馬步伐整齊，訓練有素且無所畏懼。和胸甲騎兵不同，重裝騎兵的軍官拔掉了肩章，這樣湯瑪士的火藥法師就不容易找出他們。

在他身後，第七旅和第九旅的恐慌似乎達到高峰，湯瑪士擔心他們假戲真做。他曾見過前線的剽悍步兵在軍容壯大的騎兵來襲時士氣崩潰。

凱斯的騎兵軍容確實壯觀，胸甲騎兵戰馬的胸前護甲彷彿形成一道移動鋼牆，士兵的羽飾隨著前進晃動著，乾淨整潔的制服讓他們看起來更加挺拔。

湯瑪士搜尋著胸甲騎兵的隊伍。在火藥狀態下，他可以看清每一個人的容貌，即使在這個距離也沒問題。但在這麼多張臉裡，要找出特定的一張面孔幾乎是不可能的。「不知道畢昂會把自己安排在哪裡。」湯瑪士用短劍指向西南方。「可能是那裡，方便他和胸甲騎兵一起繞過我們架設的屏障，加入重裝騎兵展開屠殺。」湯瑪士轉向保鏢。「告訴我，我們會贏，歐蘭。」

「我們會贏，歐蘭。」歐蘭說著，把最後一根菸塞進嘴裡。

湯瑪士站上一塊大岩石以便縱觀戰局。

「弟兄們，」他大吼。「守住防線！」

妮拉被士兵推入一扇門。

她閉上雙眼，努力抑制住想流下的淚水。她曾多次從軍人手中死裡逃生，卻落入維塔斯閣下的掌控，現在還遇上這種情況。這些人是誰？他們想要什麼？

一個男人抓著她手臂，推她走上一道窄梯。他們爬了兩層樓，一路上都在叫喊咒罵。妮拉奮力掙扎，不過是出於本能而非其他原因。她抓撓一名士兵的臉，害得自己雙手被壓在身後，臉被推去撞牆。

「該死的，這女的很難搞。」對方說。她試圖掙脫，被壓住的手讓她痛得驚呼，感覺手臂隨時都會斷掉。

她被扔進一間沒有窗戶的小房間裡。黃色的泥灰外露，唯一的家具是張矮桌，桌上有根燒剩的蠟燭。

他們沒走多遠，不到兩個街區就找到了這間房子。妮拉不知道這是不是計畫好的，但士兵似乎有點困惑。

下一秒，維塔斯閣下被推倒在她身邊。她瞪著他，這片混亂中唯一熟悉的面孔。他既冷靜又鎮定，看起來一點也不驚慌。妮拉痛恨自己竟然想在他身上尋求安全感，雖然她知道他根本沒有那種東西。

「看好他。」那個女人說。她很年輕，比妮拉大不了十歲，但眼神和維塔斯一樣冷酷。妮拉聽人叫她飛兒，士兵似乎不太願意聽從她的指揮，但被飛兒盯著很長一段時間之後，他們轉身監視維塔斯。

飛兒從外套底下拿出一對手銬，就連妮拉也看得出來那不是普通手銬。手銬並非馬蹄鐵形加橫槓，而是厚厚的鐵環，中間只用一條鎖鏈相連。兩名士兵粗暴地把維塔斯翻過來，將手銬扣在他的手腕上。他翻了個身，打量著飛兒。

「卓維恩手銬。」他說。「非常專業。」

「轉過來。」飛兒對妮拉說。

「不。」妮拉說。

飛兒抓住她手臂往上一扯，逼她跪在地上。飛兒走到她身後，妮拉感覺到冰冷的手銬貼上她皮膚。

樓下出現喊叫聲，飛兒轉向一名士兵。「視線不要離開他。」說完便消失在樓梯間。

兩名士兵不理會飛兒的命令，逕自退到走廊上，靠著來福槍站在門邊。

「發生了什麼事？」妮拉問維塔斯。

維塔斯面無表情，和往常一樣不動聲色，看都不看她一眼。

他觀察兩名士兵一段時間，然後坐到地上，靈活地將上了鐐銬的手從腳下伸到身前，像個軟骨特技藝人在變戲法。妮拉瞪大了雙眼。這手銬讓她手腕疼得要命，就算沒扣那麼緊，她也辦不到。而維塔斯是個年過四十的男人。

妮拉緊張兮兮地看著維塔斯和兩名士兵。他們怎麼會沒看到？難道他們根本不在乎嗎？

維塔斯從鞋底拿出一樣東西，一小塊木頭，看起來像是冰鉤的握柄，妮拉曾見過別人冬天拿來鉤冰塊，但是上面沒有鉤子。

維塔斯從另一隻鞋裡拿出另外一塊握柄，然後手指在光滑的頭髮中摸索，片刻後拔出一條長線。他把線纏上一塊握柄，然後又纏在另一塊上。

妮拉跟隨維塔斯閣下的日子夠久，久到她知道那是什麼——絞殺線。

維塔斯順勢起身，宛如探出草叢的蛇，無聲無息地穿越房間。

其中一名士兵從眼角餘光看到他，猛然轉身，舉起來福槍。維塔斯肘擊士兵喉嚨，士兵跌向一邊，痛苦地吸氣。另一名士兵立刻舉起來福槍，但長刺刀在這種狹窄空間派不上用場。維塔斯抓住槍托猛擊士兵的鼻子，在士兵後退時，繞到他身後，迅速套上絞殺線。

妮拉腦子裡一片混亂。她看向士兵丟在地上的來福槍。要不是手被銬在身後，她就能拿它來射殺維塔斯。兩名士兵很快就死在走廊上，鮮血流過地板，填滿了縫隙。

維塔斯依然像石頭般面無表情，在士兵身上搜尋鑰匙。

地板的嘎吱作響是唯一的警告。維塔斯抬起頭，在走廊上突然後退，離開了妮拉的視線。飛兒掠過門外，手持匕首。

妮拉聽見肢體碰撞聲。悶哼聲和低聲咒罵響起，是那女人發出來的。

兩人滾回房裡，妮拉在他們從自己腳上翻滾過去時放聲大叫。

他們在地上纏鬥，彼此雙腿交纏，匕首壓在兩人中間。妮拉無差別地亂踢，想讓他們離遠一點。那把匕首，那股怒氣，只要對方一個錯手，她就可能會死。

飛兒從維塔斯身上滾下，跳了起來。

她突然進攻，快如毒蛇，還跪在地上的維塔斯用手銬接下攻擊。她再度拿刀一次又一次進攻，每一擊都被維塔斯以飛快的速度擋下，還趁機慢慢起身站穩。

他們謹慎地周旋，妮拉盡可能縮在牆角。

她希望他們同歸於盡，但是之後呢？她沒辦法除去手上的鐐銬。

那兩人僵持不下，停止繞圈。飛兒將匕首換手，然後又換回來。

妮拉幾個月來的怒氣和恐懼突然爆發，她毫不猶豫，怒吼一聲，踢中維塔斯後腿。

飛兒同時展開攻擊。維塔斯小腿中刀，身體後傾，匕首掠過他眼前，劃破臉頰一側。他抓住飛兒的手，順勢將絞殺線套上她的手腕然後開始揮舞。

飛兒別無選擇，只能順著他的動作移動，否則手會斷掉。維塔斯逼近，而她試圖後退，看起來很像某種驚悚的舞步。

維塔斯猛地一頭撞向飛兒臉頰。女人踉蹌後退，撞上窗戶。

維塔斯放掉他的絞殺線。飛兒頭昏眼花，沒察覺他踢來的一腳，胸口被踢中直接摔出窗外。

維塔斯轉向妮拉。只聽見喀的一聲脆響，手銬落地，他手上多了一把鑰匙。

妮拉被他陰沉的神色嚇得畏縮起來。

「妳賭錯人了，洗衣工。」他說，把鑰匙丟在地上。「妳今晚會為此付出代價，我保證。不是妳，就是那個男孩。」

他離開房間，留下妮拉在房裡啜泣。她渾身顫抖地爬向鑰匙，抖個不停的手花了好幾分鐘才解開鐐銬。

她看著現場的慘狀，兩名死掉的士兵、一扇破爛窗戶、維塔斯閣下不知所蹤。她又花了一點時間鎮定下來，深呼吸，停止啜泣，然後擦乾眼淚。現在不是情緒激動的時候。

她知道，她可以逃。

但如果她逃了，維塔斯就會對雅各做出令人髮指的事。那絕非虛言恐嚇，他做那些事絕不會遲疑。

妮拉走下樓梯，發現另外兩名士兵死在一樓走廊上，其中一人的腦袋轉到奇特的角度，另一個插在自己來福槍的刺刀上。

街上群眾聚集到門口探看屍體，一個女人大叫警察，有人指著妮拉。

她很快就找到房子的後門。妮拉從那裡溜進一條巷子，混入群眾中。

她得回到維塔斯家帶走雅各。

阿達瑪低頭衝入包用魔法在維塔斯總部打出的大洞。

他射殺第一個舉起武器的人，然後丟下擊發過的手槍，拔出杖劍。

歐里奇的士兵跟著阿達瑪闖入屋內，用刺刀刺穿了維塔斯的手下，闇人的人緊跟在後。阿達瑪聽見房子另一邊傳來槍聲和打鬥聲。他們在維塔斯總部四周形成封鎖線，如今他們得收網。

突然間，一道橫向火柱射穿裡頭一個房間的牆壁，差不到一呎就會燒著阿達瑪，火焰的高溫把他逼向一側。

火焰燒到闇人的一名手下，他放聲慘叫衝到街上。那道火柱越來越長，直竄上街，把榮寵法師包貝德完全包圍住。

阿達瑪感覺心臟都要跳到喉嚨了。如果包死了，維塔斯的榮寵法師就會把他們全部殺光……

然而，火焰熄滅，包毫髮無傷地站在原地，像一塊被碎浪拍打過的岩石。他往前走，雙手舉在身前，手指撥動著隱形的線。

風扯動阿達瑪的外套，颳入房子內部吹倒雙方人馬，猛地穿透牆壁推開火柱。接著，包突然收緊下巴，神情堅定地高舉雙手向前奔跑。

一道閃電射向包。他一邊翻過磚瓦堆進入建築物裡，一邊揮手擋開閃電，然後大吼一聲躍過內牆。

兩名榮寵法師大打出手，整間房子劇烈震動。阿達瑪停下腳步。他意識到，他們每個人都可能因為其中一名榮寵法師的一個微小失誤而喪命。只要一根手指錯動，一個手不小心推開，所有人都會死於非命。

榮寵法師的火焰點燃了房子一側的窗簾，火勢迅速蔓延到桌上，廢墟中黑煙瀰漫。

他得去找菲。

一個嘴唇上有疤的男人跌向阿達瑪，被濃煙熏得幾乎看不見。他揮出短劍砍中椅子，阿達瑪往後跳，用杖劍擋下第二擊，然後第三擊。他感覺杖劍劍柄在手裡抖動。這把劍不是用來抵擋這種體型的人揮劍猛砍的，再擋下去遲早會被震碎。

他跳入疤唇男的攻擊範圍內，杖劍插入對方肋骨之間。男人不得不後退，痛得大叫。阿達瑪放他走。

「菲！」他叫道。「菲！」

煙越來越濃。維塔斯會把她關在哪裡？地窖？這裡還有其他囚犯嗎？幾週前看見那個男孩時，他被關在二樓，但他不關心那個男孩。

阿達瑪聽見女人的慘叫聲，是從樓上傳來的。

房子很快就被捨棄了，很多人跑過阿達瑪身邊，有些人在救火，有些人在互毆。阿達瑪透過濃煙熏出來的淚水眨了眨眼。在那裡，是樓梯。

他跑到樓梯口。屋子嘎吱作響，火勢蔓延得很快，以驚人的速度吞噬家具。到處都有紙張，就連門廳也是，有羊皮紙和書籍，桌子靠在每一面牆邊。這裡看起來更像書記辦公室，而不是維塔斯用來計畫陰謀的地方。

萬一菲沒被關在這裡，樓上叫的是其他人呢？

阿達瑪上樓。樓梯間煙霧瀰漫，他從口袋裡拿出手帕摀在臉上，慌張地站在樓梯頂端，看著一條長廊和至少十幾扇門。樓下的溫度越來越高，火勢隨時都會沿著樓梯上來，到時候他沒被濃煙嗆死，也會被火燒死。要搜索整個二樓得花很久的時間，要怎麼及時找出菲？

「菲！菲！」

阿達瑪推了推第一扇門，上鎖了。他踢開門，是個小房間，有兩張骯髒的床鋪和一座床頭櫃，但空無一人。

他抬腳正要踹開第二扇門，走廊後方傳來叫聲。他衝向聲音來源，看到其中一扇門是開的。他繞過轉角，舉起杖劍。

菲站在一個男人的屍體旁，手裡拿著血淋淋的燭台。她神情猙獰，讓阿達瑪幾乎認不出來。

阿達瑪看見一個小男孩的臉從房間另一側的窗簾後探出。

「菲！」

她抬頭，看見他時差點癱軟。她丟下燭台，要不是阿達瑪及時伸手，她多半會摔倒在地。

他們凝望彼此很長一段時間，阿達瑪懷疑或許是她在撐著他，而不是他在扶她，因為他的膝蓋軟到和果凍一樣。

「喬瑟在哪裡？」阿達瑪問。

「不在，他們把他帶走了。」

「我會帶他回來。」阿達瑪說著，看向男孩。「那是艾達明斯家的孩子，是不是？」

「對。」菲說。「來吧。」她對男孩揚手。「別擔心，他是我丈夫。」

阿達瑪看著妻子。「我……」

「噓。」她伸手壓住他的嘴唇，目光含淚。「我們得走了。」

阿達瑪點頭。「快點，我們——」他停在走廊上。煙太濃了，樓梯上有火光。他脫下外套。「摀著臉。」他對菲說，把手帕交給男孩。他帶他們朝樓梯反方向走，穿越走廊走向屋前。他們或許得跳到磚瓦堆裡，但摔斷腿總比被活活烤死好。

阿達瑪在一陣足以蓋過大火的吱嘎聲響中僵住，那是屋子即將坍塌的聲響，還是某種魔法？

「走這邊。」菲的聲音把他拉回現實。她領著他轉過牆角，出現另一道通往一樓的樓梯。這裡沒有火焰往上噴，但他下樓時還是很謹慎。

有東西撞穿了樓梯間的牆壁，滾下樓落入悶燒的衣服堆裡。阿達瑪把菲拉到身後，劍指向那堆衣服。

對方嗆咳著，勉強站起身。

是包。

火舌還在舔舐他的衣服，他的落腮鬍也燒焦了。他拍打火焰片刻，然後皺眉看向樓梯間牆壁後的冒煙廢墟。

包一手舉在頭上，一陣氣流劃破空氣，令阿達瑪雙耳嗡嗡作響，火焰立刻熄滅。包的手指往一側抽動，強風呼嘯貫穿房屋，宛如一個巨大的風箱在火焰上空抽氣一般，吸走了所有的濃煙。樓梯間頓時湧入清涼乾淨的空氣。阿達瑪大口吸氣，緊抱著菲，她則把艾達明斯男孩護在裙襬間。

火焰竄向包，掠過他的肩膀。榮寵法師轉頭，彷彿有點心神不寧。匕首大小的冰柱從他頭頂上射出，砸進了阿達瑪視線範圍外的東西裡。包對自己點了點頭。

「你們可以下來了。」包說。「我認為安全了。」

「你認為？」阿達瑪慢慢下樓，一直走到樓梯底部。

他們經過廚房，進入屋後的客廳，看到另一名榮寵法師被冰柱釘在石牆上，身上還滴著血。

那是一個女人，從黑皮膚判斷是戴利芙人。包看都不看她一眼。菲遮住男孩的眼睛。

「菲，」阿達瑪說。「這位是榮寵法師包貝德，艾卓皇家法師團僅存的法師。」

「請原諒我不和你握手，」菲說。「我可不想碰到你的手。」

包的黑手套被火燒爛了，但他的符文榮寵法師手套潔白無瑕，彷彿全新。他拍了拍雙手，身體往後仰。「我明白。維塔斯呢？」他問。

「在飛兒手上。」阿達瑪說。

「那個女人，我很想見她。當然，我是說正式的會面。」

阿達瑪不禁揣測那是什麼意思。「我並不認為你想見她。」他說。

「我想我會——」

外面一聲慘叫打斷包的話。他側過頭傾聽，像在聽哨音的狗。「喔，該死的，你沒告訴我有兩個。」

「什麼！還有榮寵法師？」阿達瑪開始四下尋找藏身處，但有什麼能保護他？在榮寵法師面前根本無處可躲。

包冷笑一聲，捲起衣袖。「對，」他說。「趴下！」

世界突然爆炸，四周都是泥灰和木屑。阿達瑪身體騰空飛起，被無法控制的力量震開。他想要抓住菲，姑且不管抓住她有什麼用，但片刻後他發現自己摔在地上。

屋內一片死寂。菲死在剛剛那一擊了嗎？還是包？阿達瑪小心地挪動自己，不確定身體所有部分是否都完好無缺。一根梁橫在他胸前，空氣中瀰漫著黑煙和灰塵，感覺好像整棟房子都坍塌在他身上。

他沒有感到任何東西斷裂，而且他還能把橫梁推開一點，慢慢爬出廢墟。他用手指輕輕觸摸胸部，不怎麼疼痛。

阿達瑪爬起身。艾達明斯家的男孩在他附近，顯然沒有受傷。阿達瑪不太確定該對男孩在如此混亂的情況下默不吭聲感到欣慰還是擔心。

「走，」阿達瑪對他說。「去廚房躲起來！」榮寵法師可能還在這裡。男孩急匆匆地跑過去。阿達瑪搖了搖頭，試圖冷靜思緒。菲在哪裡？

他開始感到恐慌。菲不見了，爆炸的力量分開了他們。屋頂塌了，他避開大部分瓦礫……親愛的克雷希米爾啊，她不會被壓在下面吧？

「菲！菲！」

「她在這裡。」有個聲音說。

阿達瑪轉身，看見闇人站在門口，一手攙著菲的手臂。她的腳踝看起來扭傷了，兩人都滿身泥灰。

阿達瑪看著闇人。他們成功了，抓到維塔斯還救出菲了。闇人會為了他勒索大業主的事反咬他一口嗎？包不在這裡，阿達瑪甚至不確定榮寵法師是不是還活著。他也不知道歐里奇中士在哪裡。如果闇人動手殺了自己和菲後就此消失，根本不會有人懷疑到他頭上。

「她沒事。」闇人說。

「謝謝你。」

閹人出奇溫柔地扶菲進房。阿達瑪走向他們，伸出雙臂。

一把短劍的劍柄憑空出現在閹人頸側。他張開嘴，鮮血噴湧而出，整個人瞬間跪地。菲突然失去支撐摔向一旁，被維塔斯接住。

25

沒人依照湯瑪士的命令行動，士兵擠在河邊驚慌失措的亂象完全沒有改變。

湯瑪士的心跳開始加速。

「第七旅的弟兄們！守住戰線！」

沒有反應。

湯瑪士雙手顫抖。是自己玩得太過火了，本來想刻意製造的假恐慌變成真恐慌，此戰還沒開打就要敗在自己手裡了。

「第一營！」一個聲音劃破人群。那人推開士兵走了出來，是老亞伯上校。他一手拿著來福槍，一手拿著假牙。「前往戰線！第一營！」

湯瑪士轉身查看，凱斯騎兵仍繼續在西線半哩外慢悠悠地前進。南邊的重裝騎兵開始進攻。芙蘿拉和其他火藥法師繼續在河對岸開火，減少對方的人數。

艾卓步兵開始遠離河邊亂局，前往預定的防禦位置。人太少，也太慢了。

接著人變多了，而且越來越多。士兵離開河岸衝過營地，前往分隔他們和凱斯騎兵的土丘。

他們撲向土丘安全的一側，準備來福槍，裝填子彈，上刺刀。湯瑪士深吸一口氣，感覺心在飛舞。如果此時此刻可以親吻所有在場的士兵，他絕對會那麼做。

他轉向步步進逼的凱斯軍，心臟停止跳動。

對方在四分之一哩外停止推進。

一萬五千名凱斯騎兵把湯瑪士的部隊完全困在河道和高山之間。

他看見一個人策馬來到胸甲騎兵之前。難道畢昂看穿了自己的計謀，察覺到這是預設的陷阱了嗎？

湯瑪士認出對方是畢昂・傑・伊派爾本人。他很勇敢，在明知火藥法師的子彈隨時能打死他的情況下，還敢跑到騎兵陣前。

畢昂側過頭，似乎在評估湯瑪士的位置。他嘴唇微微抽動，然後親吻他的劍，再高高舉起。是致敬。

畢昂在向自己致敬。這個動作令湯瑪士震驚。對方彷彿在說，你本來可以逃跑的，但你留下來奮戰。

畢昂長劍揮落，一萬五千組馬蹄撼動地面，朝湯瑪士衝鋒。

「穩住！」湯瑪士大叫，抓住他的來福槍。他轉身背對胸甲騎兵，尖木樁和屏障會阻止他們衝鋒，他們會突然被迫停下和第九旅交火，或緩慢前行好避開障礙。

然而，湯瑪士和重裝騎兵中間卻沒有這些明顯的屏障，只有地上的一層薄霧，以及艾卓部隊隱身其後的土堆。

距離三百碼。重裝騎兵在馬上前傾，加快馬的奔馳速度。一顆子彈掠過湯瑪士的頭頂，精準地擊中一名重裝騎兵的眉心。湯瑪士舉起來福槍瞄準，然後射擊。他壓低槍管，裝填彈藥，再度射擊。

距離兩百碼。重裝騎兵舉起他們的卡賓槍，扭頭放聲呼喊。

距離一百碼。湯瑪士的戰線開火，數百名重裝騎兵在第一波集中射擊下倒地，剩下人繼續衝鋒，毫不在意落下的夥伴。

距離七十碼。重裝騎兵發射卡賓槍。湯瑪士的士兵躲回土牆後，裝填彈藥。

距離五十碼。重裝騎兵放開卡賓槍，舉起手槍。

距離三十碼。重裝騎兵陣線瞄準手槍。

二十碼。

十碼。

重裝騎兵前線消失了。

湯瑪士閉上雙眼片刻，然後聽見慘叫聲。

騎兵部隊全速前進的衝勢，讓他們一頭栽進了一條隱藏壕溝裡。那條壕溝將近二十呎寬、二十呎深，一直延伸到湯瑪士在防禦工事中留下的「缺口」。壕溝裡有用雜草和石塊掩飾的木樁，在光天化日下其實偽裝效果不佳，但現在完全被薄霧遮蔽住了，木樁在摔落的戰馬重壓下被壓折斷裂。

湯瑪士曾經見過一整排馬車直接衝入艾德海。那時，第一輛馬車奔過一個陡峭的轉角，直接衝出碼頭墜落，第二輛也緊跟著落海，車夫直到最後關頭才察覺危機，而第三輛馬車車夫嘗試放慢車速，結果失敗。

眼前的情況也差不多，但不是三輛馬車，而是數以千計的重裝騎兵正在栽入他的壕溝中。等到重裝騎兵設法停止衝鋒時，壕溝裡已經塞滿了慘叫掙扎的戰馬和企圖爬出壕溝的士兵。倖存的騎兵都驚恐地看著死去的同僚。

想到身處那道壕溝底部，湯瑪士不禁微微顫抖。

「開火！」湯瑪士叫道。

第七旅朝凱斯重裝騎兵開火。重裝騎兵的馬驚慌失措地擠在壕溝邊緣，軍官大聲吼叫，揮舞長劍，努力命令後排的馬後退，讓他們想辦法撤退。

湯瑪士重新裝填火藥再次開火。重裝騎兵開始整隊。如果他們逮到撤退的機會，還能保有數千兵力，可以重新整頓，在湯瑪士轉而應付胸甲騎兵時繞去進攻艾卓軍側翼。

「刺刀！」湯瑪士下令，高高舉起來福槍。

壕溝每隔四十步都留下十呎寬的實地通道。這些通道沒有標記，在霧中難以辨識，但湯瑪士得找出通道進行反攻。

湯瑪士奔向最近的通道，直通撤退中的敵軍側翼。

他釋放感知，找出最接近的火藥條，用意志力點燃。火藥產生的小型爆炸炸死了人和馬匹，近距離爆炸震得湯瑪士自己都牙齒晃動。他的士兵從他身旁一擁而過，咆哮著用長柄刺刀擊向重裝騎兵。

整條戰線開始爆發肉搏戰，第七旅的五千名步兵攻向凱斯重裝騎兵。少了衝鋒的撞擊力，重裝騎兵在攻擊範圍長的長柄刺刀前失去了戰鬥優勢。

湯瑪士奔向距離最近的重裝騎兵，朝上送出刺刀，擊中對方露出的身側，然後狠狠扯回來福槍撕爛對方的傷口。士兵當場墜馬，湯瑪士隨即後退，避開驚慌逃竄的馬。

然而下一秒，他的身側被狠狠撞了一下，把他整個人撞飛出去。他重重落地，一口氣還喘不過來又立刻爬起來。

「長官！」歐蘭丟掉來福槍，拔出長劍，一劍刺穿重裝騎兵大腿，隨即衝向湯瑪士。湯瑪士站起來，卻被歐蘭撞上胸口，他們在一支長劍掠過湯瑪士頭頂時一起倒地。

歐蘭從湯瑪士身上翻滾下來，扶他起身。

湯瑪士的來福槍在混亂中丟失了。他拔出劍。

「該後退了，長官。」歐蘭在槍聲中吼道。

「我們還沒完呢。第七旅！」湯瑪士還劍入鞘，從泥巴裡撿起來福槍。他鎖定距離最近的重裝騎兵，拔腿就跑，希望歐蘭跟在後面。

他再次釋放感知，引爆更多火藥，重新逼近重裝騎兵。而他的左右兩側都有步兵跟著進攻。

湯瑪士感到一陣令人刺痛的微風從他腦袋右側襲來，就在他耳朵上方。他不顧自己頭暈目眩繼續進攻，但每踏出一步，重裝騎兵都彷彿變得更遙遠。

歐蘭大聲呼喊，把他喚回現實。「他們在撤退了，長官！」

湯瑪士停下腳步左顧右盼，仔細觀察周遭的慘狀。衝鋒行動中死了數千人，還有數千人卡在壕溝裡。受傷的人和馬匹正在慢慢死去，慘叫聲不絕於耳。「好，返回陣線。」他抓住歐蘭的手臂穩住自己。

他們走安全通道穿過壕溝。剩下的第七旅士兵丟下撤退的重裝騎兵，確保壕溝裡的敵軍無法活著離開。湯瑪士看見一名重裝騎兵抓住艾卓兵的腳哀聲求饒，士兵毫不留情地一刺刀刺穿了對方的眼睛。

湯瑪士感覺歐蘭的手搭上自己的肩。

「你腦袋旁邊被子彈劃破了，長官。」歐蘭說。

湯瑪士摸摸頭側，手指是紅的。

「是擦傷。」歐蘭說。「流很多血，但傷口不深。」

歐蘭左手垂在身側，破爛的袖子染血，手臂差點被砍掉。他注意到湯瑪士提問的眼神。「只是皮肉傷，長官。」

「湯瑪士，天殺的狗！」有個聲音大叫。「第九旅潰敗！側翼失守了！」

湯瑪士當即抬頭轉身。加瑞爾全速衝刺，和他的巡邏隊一起奔向西方。

「亞伯上校！」湯瑪士喊道，四下找尋上校的蹤跡，發現他正在壕溝邊緣，俘虜了兩名受傷的凱斯軍官。

「長官！」

「堅守陣地。」湯瑪士揮劍高舉過頭。「第七旅的弟兄，集合！」

湯瑪士帶兵朝西方衝刺，體內的腎上腺素和戰場上的火藥味令他異常亢奮。他很快就看出問題所在，防線裡擁入了大量胸甲騎兵，有些第九旅的士兵已經開始逃命，逃入營地內部，或跳進河裡。

胸甲騎兵從西南角猛攻，防線完全潰敗，只剩下一小群人。湯瑪士認出騎在馬上的瑟索將軍。而當他看見將軍的同時，瑟索的馬正好被人拉倒。

湯瑪士停止前進，用來福槍柄猛擊地面，大聲呼喊。

「陣線，集合！」

歐蘭來到他身邊，第七旅的弟兄在他左右並肩而立。

「上膛！」

部隊迅速裝填來福槍和火槍。

「瞄準！」

他的手下把槍抵住肩窩。

「開火！」

第七旅在第九旅弟兄的頭頂上開火射擊，一群胸甲兵當場墜馬。

「刺刀，前進！」

一波「瞄準射擊」讓剩下的第七旅弟兄有時間趕到他們身後。如今湯瑪士集結了縱深六列的步兵陣線，刺刀刀光閃爍，他們步調一致地向前推進。第九旅的士兵有些加入他們，有些被推擠到一邊，而陣線正朝瑟索將軍墜馬處移動。

三十步後他們遭遇騎兵，陷入混戰的胸甲騎兵失去了自身最大的攻擊利器——往前衝鋒——但還是比重裝騎兵具備優勢。他們身穿護甲能抵擋刺刀，而且重劍對付步兵也較為有利。

「守住陣線！」湯瑪士命令手下開始攻擊胸甲騎兵。他們連刺帶砍擊倒敵軍和戰馬，越過他們繼續推進。

湯瑪士在戰鬥間隙發現了瑟索將軍。瑟索倒在地上，距離他二十步遠，臉和雙手都是血，長劍高高舉起。一個站在地上的胸甲騎兵架開瑟索的劍，用自己的劍攻擊。

湯瑪士離開隊伍從兩個騎兵之間衝過去。瑟索面前的胸甲騎兵抽回長劍再度出擊。瑟索身體抽動了一下。

胸甲騎兵沒發現湯瑪士。

湯瑪士的刺刀插入對方手臂下方的胸甲皮帶交會處，他猛插刺刀，一直插到槍管都被染紅。他又推了一下，然後放開來福槍，跪在瑟索身旁。

瑟索一臉驚恐地看著他，雙手染滿自己的鮮血。

湯瑪士聽見雙劍交擊聲，還有歐蘭邊跑邊吼的叫聲，但一切都彷彿很遙遠。

瑟索胸口和腹部起碼中了四劍，手上有無數割痕，臉上血肉模糊。他眨了眨眼，透過鮮血看著湯瑪士。

「我的弟兄，」他喘道。「他們潰敗了。」

湯瑪士抓起瑟索的手，輕輕一捏。

最難想像的背叛是你的手下軍心潰散，在你身邊抱頭鼠竄。

「你沒逃。」湯瑪士說。「你堅守陣地。」

「我不是懦夫。」瑟索說。「天殺的畢昂，我沒見過這麼靈活的胸甲騎兵。他們越過壕溝和我們……我們的強化工事。」瑟索伸手摀住其中一道傷口想止血，卻徒勞無功。「你阻止重裝騎兵了嗎？」

「對。」

瑟索深吸一口氣。「別責怪我的弟兄。我自己……也想逃。可惡的胸甲騎兵。」他再度眨了眨眼。「你去找出畢昂，然後……」他咳嗽，清了清喉嚨。「……代我致意。真是了不起的騎兵部隊。」他從湯瑪士手中縮回自己的手，去摀住另外一道傷口。「去吧，弟兄們需要你。我……沒事的。」

湯瑪士脫下外套墊在瑟索頭部下方。他站起身，他的步兵陣線已經越過他繼續推進了。湯瑪士從胸甲騎兵屍體上拔出刺刀，追趕而去。

騎兵撤退了，只剩下一些落馬的人，而他們都已經轉身逃命。凱斯胸甲騎兵一群接著一群投降了。

他看見還有人在作戰，他的士兵組成刺刀牆逼近剩下的凱斯軍。湯瑪士擠入混戰現場，毫不驚訝地發現畢昂受困其中。

畢昂的頭盔沒了，胸甲靠一條皮帶掛著，臉頰被劃出一道傷口，一條手臂活動困難，僅存的保鏢在身邊被人擊倒。畢昂向後退，丟開他的劍，滿頭都是鮮血和汗水。

「我投降。」他大聲說道。「我們投降。」

一名艾卓士兵上前一步，舉起來福槍，刺刀對準畢昂的脖子。

湯瑪士再也無法忍受。血流成河，毫無憐憫。他衝向前去抓住士兵來福槍火熱的槍管，往旁邊一扔。

「他說，」湯瑪士大聲說道。「他投降了！」

阿達瑪往前一撲，大罵一聲，卻在維塔斯的長針抵上菲的脖子時停下腳步。

「我保證過會十倍奉還的。」維塔斯說。「我要你記住這一點。」他前臂彎曲，阿達瑪閉上雙眼，不忍心看菲的生命之血從喉嚨流出。

「離他遠一點。」

阿達瑪睜開眼睛。維塔斯神色微帶困惑。他的前臂使勁，長針卻無法接近菲的喉嚨。

「麻煩你，」包說著，走過轉角。「閃一邊去。」

阿達瑪抓住菲，把她拉離維塔斯。維塔斯鼻孔開闔，眼中充滿怒火，但他顯然動彈不得。

包手指抽動，隱形魔力把維塔斯震到房間另一邊，重重撞在釘死榮寵法師的牆上。包走到維塔斯身旁，粗魯地扣住對方下巴，讓他轉頭去看榮寵法師的屍體。

「她很厲害，」包說。「真的夠資格加入皇家法師團，而我是那樣對付她的。你另外那個備用法師就沒那麼厲害了，只浪費了我一點時間。而你，」包伸出戴手套的手指敲敲維塔斯下巴。「我不喜歡你。我看到地窖裡那個房間了，我在法師團見過像你這樣的人。聽說湯瑪士殺光他們時，我覺得很開心。」

包後退一步，一臉嚴肅地打量維塔斯。

維塔斯還被包的魔法釘在牆上。

包說：「我敢說你小時候喜歡折磨動物。告訴我，你拔過昆蟲翅膀嗎？」

維塔斯沒有回話。

「回答我！」包吼道。

維塔斯畏縮。「有。」

「我想也是。那是什麼感覺？」

包的手指輕輕一扭，維塔斯的右手就這麼給扯斷了。阿達瑪不知道誰叫得比較大聲，是痛得慘叫的維塔斯，還是震驚無比的菲。阿達瑪把菲摟在胸前，擔心自己隨時可能倒地，內臟彷彿噁心到要翻出來。

包繼續扭動手指，維塔斯另一條手臂掉在地上，肩膀冒出火光。

「我們會消毒傷口。」包說。「我可不要你死得太痛快。你這種人就是喜歡這樣，是吧？讓受害者活得越久越好？」包打了維塔斯一下又一下。「是不是？告訴我！是還不是？」

阿達瑪撲上前去抓住包的手臂。包轉過身舉起雙手，眼中噴火。阿達瑪強迫自己不要退縮。「夠了，老兄！夠了！」他不敢相信自己竟然會衝過去維護維塔斯。一小時前，阿達瑪還打算讓維塔斯嘗盡世間痛苦，如今他只覺得噁心。

包放下雙手，點了點頭，喃喃自語。「帶他們走。」之後他指著菲和男孩說。「維塔斯哪兒都去不了。帶他們離開這裡。」

阿達瑪伸手摟住菲的腰，讓她腳踝少一些壓力，帶著她離開悶燒的房屋。

街上擠滿了人。圍觀群眾站得很遠，都在至少一百步以外，好奇心和對魔法的恐懼心理在天人交戰。房子正門外，闇人的手下集合了傷者和俘虜，有些人正往屋裡走，因為火與煙都消散了。阿達瑪看見歐里奇中士和莉普拉絲在那群人中走動，下達命令。

阿達瑪示意莉普拉絲過來。「闇人死了。」他輕聲說道。
闇人的副手後退一步，瞪大雙眼。「什麼？怎麼死的？」
「維塔斯閣下幹的。他從飛兒手中逃脫，說到這個……」
飛兒從圍觀群眾中一拐一拐地走到他面前。她輕輕扶住一條手臂，身上滿是割傷。
「維塔斯他……」
「他在裡面。」阿達瑪說，壓抑怒火。飛兒曾保證會看好維塔斯，但顯然能力不足，歐里奇的手下大半都死了。他怕自己多說會失言。
飛兒開口時，冷淡的態度中多了一絲嚴肅。
「你要怎麼處置他？」
「我要知道他把我兒子怎麼了……除此之外，我不在乎。」
飛兒和莉普拉絲對看片刻。「妳是闇人的副手？」飛兒問。
「對。」
「來聊聊。」飛兒側了側腦袋，兩個女人進屋密談。
阿達瑪輕輕捏了捏菲，彷彿在確認她還在這裡。她靠在他胸口，閉上雙眼，目光含淚。
「孩子呢？」她突然問。
「安全。」阿達瑪說。「很抱歉我沒有早點來。」
「你來了，這才是重點。」

阿達瑪跪在她身邊，把她的手壓在唇邊。「我把妳救回來了。我可以死了。」

「拜託，」菲說。「先別死。我的腳踝很痛。」

26

坦尼爾在「紅酒盡頭」找到朵拉維少校。那是一家高級紳士俱樂部，被徵召當作軍官餐廳。室內鋪著厚厚的紅錦緞，瀰漫著濃濃的雪茄菸味。俱樂部裡的椅子上鋪著葛拉大陸來的大貓皮。一個士官在屋角演奏鋼琴。裡面的人說話都輕聲細語，不過有幾名軍官注意到坦尼爾進來。

坦尼爾在門口調整了一下軍服的衣領——這是米哈理送的禮物。他的東西大部分都在南矛山崩塌時不見了，包括各式制服。胖主廚不知道從哪裡弄來坦尼爾的尺寸，幫他做了套新制服，上面甚至還有火藥桶標記的銀釦。

他緩緩環視餐廳一圈，帽子夾在臂彎，努力不去想在外面等他的憲兵。如果道歉失敗，他們就會直接把他帶回房裡。

坦尼爾發現朵拉維少校在吧檯附近，與一個年逾五十的年長軍官和兩名少校玩牌。他深吸一口氣，穿越房間，繞過椅子，朝幾個向他打招呼的人點頭。

朵拉維少校背對牆壁，不可能沒看見他走過來，但當坦尼爾在她身旁停步時，她卻完全沒有抬頭看一眼。

從制服判斷，那位正在說話的年長軍官是上校階級，不過坦尼爾不認得對方的長相。

「我告訴他們，問題在於缺乏貴族血統。我明白湯瑪士的甄選條件有政治訴求，不過毫無疑問，軍官裡缺乏貴族，導致部隊素質低落。看在克雷希米爾的份上，如果他不能……」老軍官住口，皺眉看向坦尼爾。「啊，上尉，再幫我拿杯啤酒來。我剛剛說到哪了？如果他不能……趕快去，上尉，我渴了。」

坦尼爾不理會上校，對著朵拉維說道：「朵拉維少校。」

朵拉維目光自牌面移開。「你對伯索上校很沒禮貌。」

伯索？他在哪裡聽過這個名字？「請見諒，上校——」坦尼爾看都不看他一眼。「但我有事要找朵拉維少校。」

「我現在是『上校』了。」朵拉維摸了摸她衣領上的軍階。「你要對我說的話，」她把牌蓋在桌上，靠回椅背。「都可以在大庭廣眾下說。」

坦尼爾嚥下一口膽汁。「恭喜妳升官，上校。」

「我說——」伯索站起。

「坐下，長官，此事與你無關。」坦尼爾大聲說道。「朵拉維上校，我要向妳致上深深的歉意，為了——」坦尼爾在腦中將句子翻轉，努力擠出嘴裡。「為了我近期行為給妳帶來的羞辱。」

坦尼爾注意到整間餐廳已經完全安靜下來，似乎有上百雙眼睛在盯著他。或許真的有。

「伯索上校是我丈夫。」朵拉維說。「向他道歉。」

丈夫？那傢伙年紀肯定大她二十歲。

「我道歉，」坦尼爾說。「我也向妳道歉了。現在請容我告退。」坦尼爾轉過身去。

他在伯索清喉嚨時停下腳步。「那是坦尼爾嗎？湯瑪士的小鬼？」

繼續走，坦尼爾對自己說。

「雙槍，」伯索說。「立刻給我回來。伊坦上校！」

坦尼爾僵住。伊坦在這裡？

「上校，就是這傢伙害你殘廢的嗎？」

「就是這傢伙救我一命的。」伊坦回應。

「他也救了我的命！」有人大叫。

「還有我！」

「嘖，我現在想起來了，雙槍。」伯索說。「那是五、六年前了，你還是一個愛抱怨的小混蛋，爛得可以的士兵。你無視訓練，寧願和那個黑髮妓女鬼混，我從來都看不出你有什麼優點。哼，看來她也看不出來。」

妓女？芙蘿拉？抓到她在大學和那個紈褲子弟上床時，他或許也想那樣叫她，但坦尼爾絕不會讓這種蠢軍官瞎扯他的情感生活。他雙手握拳，緩緩吸氣，讓自己冷靜下來。他沒必要聽這些鬼話，他可以直接離開。

「伯索，我想你喝夠了。」伊坦的聲音響起。「或許你該回去休息。」

「下地獄去吧，伊坦。」伯索繼續說。「坦尼爾，我看得出來你完全沒變。不敬上司，目無軍紀，你只是把一個妓女換成另一個。」

「伯索！」伊坦的聲音帶有警告意味。

「現在換成野人妓女了！他下回會想出什麼點子？我敢說你每次上那個婊子，你父親都會在墳墓裡翻身。」

坦尼爾氣得渾身顫抖。他強迫自己保持冷靜，然後慢慢地轉過身。

「伯索。」坦尼爾說。「我不記得伯索上校，但我記得有個叫伯索的上尉，那個完全仗著公爵之子的身分才能保住軍階的混蛋。戰地元帥湯瑪士發誓只要他還活著，那傢伙就不會晉升。」

伯索面紅耳赤。「禁閉一週，雙槍。」

「你是個自吹自擂的蠢蛋，伯索。你對軍裝是種侮辱。」

「兩週！」

坦尼爾衝向伯索，軍官畏縮，彷彿準備挨打。坦尼爾抓住他領子上的上校軍階，扯下來丟到一旁。

「一個月！」伯索吼道。

有東西騰空飛來，擊中伯索臉頰，看起來像是馬鈴薯泥。

「誰幹的？」朵拉維喝問。

一顆小餐包擊中伯索鼻子。他猛地向後退，瞬間遭受各式各樣的食物攻擊。有人把一大盤沾醬潑在他身上，弄髒了他的制服。

「你不再自由了，雙槍！」伯索怒道。「你父親死了，你要關兩個月禁閉，我要把你的小野人交給我的手下處置！」

坦尼爾上前一步，對他下巴就是一拳，打得老頭摔倒在地。他聽見那混蛋下巴粉碎的聲音。

「憲兵！」朵拉維大叫。

去死，全都去死！坦尼爾用腳踢正伯索的椅子，然後跳上去。

「各位朋友，」他大喊，揚手要求眾人安靜。軍官餐廳突然安靜下來，坦尼爾很驚訝他有一點時間能發言。「參謀總部欺騙了所有人，」坦尼爾說。「戰地元帥湯瑪士沒死，他甚至沒被凱斯俘虜。他此刻正在率領第七旅和第九旅穿越凱斯領地。」

「一派胡言！」朵拉維大叫。

坦尼爾提高音量蓋過她的聲音。「你們都不奇怪凱斯騎兵隊在哪嗎？他們在追殺湯瑪士！」

憲兵把坦尼爾推下椅子，對方還沒機會抓住坦尼爾，就被一名少校壓在地上。坦尼爾起身繼續說：「我們只要繼續阻擋這些凱斯混蛋幾個月就好了！秋天很快就到了，然後是冬天，戰地元帥湯瑪士將隨之重返！」

火槍槍柄擊中坦尼爾腹部，他痛得彎下腰，但強迫自己直起身。「不撤退！不投降！」

軍官餐廳掀起一陣歡呼，食物亂飛。坦尼爾被人抓住後頸壓在地上，臉貼地毯。

「你完了，雙槍。」朵拉維嘶聲道。「你死定了！」

坦尼爾不在乎。軍官會把話傳開，弟兄們會守住戰線。他們會幫坦尼爾這麼做，會幫湯瑪士這麼做。

妮拉越接近維塔斯大宅，心裡那股恐懼就越強烈。街道上空黑煙滾滾，慘叫隨風飄來，打鬥的動靜越來越清晰，其中還有她這輩子只聽過幾次但絕對不會弄錯的聲音——魔法爆擊聲。

肯定是榮寵法師道佛德。她在心裡看見那個高個子榮寵法師的身影，哈哈大笑對著未知的敵人拋擲法術，彈指間把人燒成焦炭。

魔爆似乎帶有回音，每一下魔爆都緊跟著一聲更響亮的魔爆。她轉過下一個街角，從後方接近大宅。戰鬥依舊持續著，大宅三層樓的窗戶都在冒煙，煙裡噴出火舌，宛如手指般竄出窗框，出現一下又一下的魔爆。

不，不是回音。

大宅裡有魔法在對抗魔法。

妮拉奔向大宅，雙手撩起裙襬。她想起廚房人員提到過，維塔斯已經從南方找來第二名榮寵法師，預計今天早上抵達。是那個女人在和道佛德對打嗎？

一聲巨響傳來，妮拉雙耳震動。她跌跌撞撞歪向街邊一側，努力站穩腳步。大宅裡的火都熄了。又一聲巨響，黑煙噴出窗口，彷彿有個大風箱把它們吹出來，一直噴到沒煙為止。

妮拉僵在原地，覺得此刻的死寂比魔法交戰更加可怕。誰打贏了？是誰在打？維塔斯在裡面嗎？他還活著嗎？雅各有可能在這一切中存活下來嗎？

她不知道能不能強迫自己進屋。她深吸好幾口氣，鼓起勇氣。

一聲巨響破空而來，妮拉騰空飛起，重重摔在街上，掌心的皮都被蹭掉了一層。

大宅一側坍塌淪為廢墟。她目瞪口呆看著牆壁倒塌、屋頂滑落、屋瓦掉在巷子裡發出宛如上千個風鈴在颶風中搖晃的聲響。

妮拉爬起來，想也不想就衝向大宅。她掌心抽痛，裙子上都是血，但她不在乎。雅各還在裡面，在二樓。他的孩童室面對背面的街道，即使從這個角度她也看得出來，如果男孩在裡面，他已經被壓扁了。但或許他夠好運待在床下，或有門框保護，或者是……

大宅後門突然炸開，泥灰、家具，以及看起來像屍塊的東西噴到街上。

一個男人站在廢墟裡。中等身材，臉上除了落腮鬍外都乾乾淨淨，穿著寬鬆的褲子，還有同色系外套，看起來很適合出現在銀行區。他並不特別英俊，但也不醜，可是妮拉一看到他就感到一陣心悸。

他高舉戴著榮寵法師白手套的雙手，低頭看向自己在大街上造成的混亂。圍觀群眾驚慌後退，一個女人在發現撒落一地的肉塊是什麼時當場昏倒，還有個男人吐了。

榮寵法師環顧圍觀群眾，放下雙手，轉身消失在廢墟裡。然而，在他消失前，妮拉看見他手套上有個圖案——那是艾卓山脈的標記，下方還有代表艾德海的淚珠。

這傢伙不是普通榮寵法師，他是艾卓皇家法師團的成員。

妮拉知道，道佛德完全不是對手。

妮拉穿越廢墟，低頭閃過一根橫梁進入屋內，盡可能接近僕役樓梯。

客廳全毀了。她聽見呼救聲和呻吟聲。一具屍體躺在碎木堆裡，被一層泥灰覆蓋，沒有任何動靜。她聽見隔壁房間有人說話，聽起來像維塔斯閣下。

妮拉慢慢溜進廚房。廚房幾乎完全沒有受到影響，但僕役樓梯看起來很慘，她沒辦法從這裡爬上二樓。

她溜到餐廳門口側耳傾聽，裡面沒有交談聲，但能聽見有人在移動。她透過門縫偷窺，在看見有個女人被冰柱釘在牆上時，倒抽了一口氣。對方戴著榮寵法師手套，是維塔斯另外找來的榮寵法師嗎？

有人說話，是男人的聲音。他在說……

維塔斯閣下撞上餐廳後方牆壁，力道之強令整間房子都在震動。廢墟中有東西在動，妮拉聽見有人尖叫，不過維塔斯閣下沒有吭聲。艾卓榮寵法師走進視線範圍內，他聲音很輕，但一臉憤怒。他抓起維塔斯的下巴，強迫後者看死掉的榮寵法師。

艾卓榮寵法師突然後退，他的聲音冷靜下來。妮拉聽見他說：「我敢說你小時候喜歡折磨動物。告訴我，你拔過昆蟲翅膀嗎？」

看到維塔斯恐懼畏縮，妮拉感到十分痛快。他的嘴動了動，但聲音小到聽不見。

「我想也是。那是什麼感覺？」

妮拉遠離門口。維塔斯的慘叫蓋過了屋內其他受傷或垂死之人的聲音。她轉向廚房，尋找其他通路。她開始恐慌。她得找到雅各，得離開這間房子。她察覺自己呼吸困難，腎上腺素開始發威，但同時感到如釋重負。維塔斯不在了。就算他現在還沒死，也死定了，那個混蛋終於遇上比他更強更殘酷的傢伙。

她把他從思緒裡趕出去，他不值得她去想。但是雅各……

「妮拉？」

妮拉環顧廚房。說話的是小孩，聲音從哪來的？

「妮拉，快點，躲進來！」

她發現雅各在餐具櫃底下，躲在一袋麵粉後面。她看向通往餐廳的門。「我躲不進去。」她說著，幫助他從餐具櫃底下爬出來。

「菲呢？」雅各問。「維塔斯叔叔呢？」

餐廳傳來呻吟聲。妮拉摟著雅各的肩膀，把他從破牆裡推出去，就像她進來時一樣。

外面的人群退到他們自認安全的距離外，似乎打定主意要等警方和消防隊趕到。妮拉擠過人群時，有人抓住她的手臂，她悶聲推開對方，懶得回頭去看，只是抓緊雅各的肩膀。

她的思緒飛快地轉著。她的銀器還埋在城外，除了身上這一套，她沒有錢和其他衣服。他們得步行到城外挖出銀器，明天再回來找地方變賣。

露宿街頭一、兩天要不了他們的命。

她帶著孩子走了四條街，留意到有個路人在盯著她看。又走出一條街，雅各指了指她的衣服，她才發現自己掌心的血沾了滿身，看起來好像在血裡打滾過。再走兩條街，他們抵達一條商店街。

「女士，須要幫忙嗎？」一名紳士經過時以手帕掩口詢問。他一副看到她就噁心的模樣。

她攤開雙掌。「磨破了，就這樣。」她說，努力保持語氣平穩。「看起來比實際上慘。」

紳士似乎鬆了口氣。「那裡就有醫生。」他說著，指向隔兩間的店面。「不用預約。」

她站了一會兒等紳士離開。她沒錢看醫生，得忍住痛楚，直到……

妮拉想起掛在脖子上的大珍珠銀項鍊，維塔斯的那串「禮物」。

醫生是個穿白色連身裙、鼻梁掛著眼鏡的老女人。她正好有病人，不過一看到妮拉滿身是血，立刻跑過來查看是怎麼回事。

妮拉努力在醫生清理包紮傷口時閒聊。妮拉告訴醫生，自己摔倒了，而且摔得很慘，不過沒有扭傷。要付錢？「喔，真是的，我似乎把錢包忘在家裡了。妳可以先收下這條項鍊，等我回來再付錢嗎？」

交易談妥後，妮拉甚至還多借了五十克倫納的鈔票。她拉著雅各出門，很慶幸他從頭到尾都沒說話。

妮拉又走出半條街外，然後想到一件事。

那個榮寵法師，就是打贏其他榮寵法師並扯斷維塔斯手臂的那個，是艾卓皇家法師團的人。

「雅各，」妮拉說，領他來到街邊的咖啡廳。「你可以在這裡等我幾分鐘嗎？」

雅各瞪大雙眼。「別丟下我不管。」

「幾分鐘就好。來，我幫你買杯牛奶，坐在這裡，待在室內等我回來。」她想了想，又說。「如果我沒回來，我要你去找人問最近的軍營怎麼走，告訴那裡的軍官說你在找歐蘭軍官。他不在城內，在前線作戰，但其他軍官會幫你找地方住。」

「妳不會回來找我嗎？」

「我會。」妮拉說。「但萬一我回不來，你就要這麼做。」

男孩似乎受到她自信的態度影響，抬頭挺胸。「知道了，妮拉。」

她買了杯牛奶給他，把他安置在座位上，並請服務生幫忙照看他半小時。她花了十克倫納向咖啡廳買了條舊圍裙綁在身上，遮住了大部分血漬。

接著，妮拉原路走回維塔斯大宅。

警方到場了，房子裡擠滿消防員。一條白布蓋在道佛德的殘軀上，消防員從廢墟中拖出另一具扭曲的屍體。維塔斯閣下的手下全部消失，他們的敵人也一樣。警察的人數多到讓她不想接近那裡。

她開始在外圍繞圈，檢查附近的街道。對方肯定有留人下來監視情況，或者……還是……隨便哪個人！

但她什麼都沒發現。不論是維塔斯閣下的手下、艾卓士兵，還是法師團的榮寵法師，他們全都消失了。

她擴大搜索範圍，終於在搜了五條街後看見一個留落腮鬍、西裝筆挺的傢伙走在路上，肩上扛了塊捲起來的地毯，裡面可能藏了人。他沒戴榮寵法師手套，但妮拉知道就是那個人——皇家法師團的榮寵法師。

她追了過去。

那人扛著地毯，速度不快，還邊走邊吹口哨。這傢伙想必不會是之前那個人吧？

他轉過轉角。

妮拉慢慢走到那棟建築的角落。或許不是他，榮寵法師不會自己扛東西，他們有僕人處理那些瑣事。

轉過轉角後，她差點尖叫。

對方距離巷口十呎，坐在那塊捲起來的地毯上。他兩腳蹺在一個老酒桶上，一副在那坐了一整天的模樣。

「我能為妳效勞嗎？」他問。

妮拉看了街道一眼。他當然不會傷害她，至少不會在光天化日下的繁忙街道上傷害她。

「先生。」她邊說邊想著要怎麼和榮寵法師交談？幾個月前與保王分子在一起時，她和羅莎莉雅相處過一段時間，但那段經驗讓她很不自在，覺得榮寵法師不值得信任。「……大人？」

他瞇起雙眼，但沒有糾正她。沒錯，他就是剛剛那個傢伙，而他不喜歡有人發現他是榮寵法師。她站穩腳步，隨時準備逃跑。

「怎麼了？」他語氣友善地詢問。

「你是榮寵法師，」她說。「艾卓皇家法師團的。」

對方挑眉。「妳怎麼會這麼想？」

「我一小時前看到你把道佛德閣下打飛過街道。」

「那是他的名字？」榮寵法師表示。「我就覺得他有些眼熟，那狂妄的傢伙是凱斯法師團的人。嘖，我很驚訝他們讓他加入，他的天賦連技能師都不如。」他上下打量她。「現在有什麼我能效勞的？想清楚，因為事後我得殺妳滅口。」

殺她滅口？如果有必要的話，妮拉絕不懷疑他會這麼做，畢竟皇家法師團成員以殘酷著稱。她清了清喉嚨，抬頭挺胸。「基於皇家法師團的職責，我要把雅各．艾達明斯，艾卓下一順位王位繼承人交由你保護。」她吐出一大口氣，這才發現自己在憋氣。

榮寵法師表情不變，過了一會兒，彷彿發現她不是在開玩笑後，眉毛垮了下來了。他仰頭大笑出聲。

妮拉覺得自己的嘴角也差點浮現緊張兮兮的笑容。她說了什麼好笑的事情嗎?「這表示你會保護他?」

「什麼?喔,見鬼了,才不會。妳以為我會把王室小鬼帶在身邊?那小鬼多大,四歲?」

「六歲。」

「六歲,對。」榮寵法師站起來。「艾卓貴族沒了,他們不會再回來了。」他頓了頓,環顧四周。「話說回來,那小鬼在哪?」

「躲起來了。」

「聰明。」

「先生,」妮拉說。「我是說大人,您得保護他,沒人可以保護他了。」

「他有妳。」

「我只是個洗衣工。」

「妳打扮得像服務生。」

「這件圍裙?不,我是洗衣工。」

「我很肯定妳是服務生。」榮寵法師說。

她過了一會兒才聽出他在逗她。

「大人!」她希望自己的語氣稱得上嚴肅。「您得保護雅各・艾達明斯。」

「不,我不必保護他。」榮寵法師輕嘆一聲,彷彿他突然疲憊無比,儘管他片刻前看起來不過二十來歲，卻轉眼間蒼老許多。「我受夠艾卓貴族了。」他眨了眨眼，彷彿在仔細審視她。

「我們見過嗎？」

她搖頭。

「喔，好吧。我該走了。這塊地毯不會乖乖待著。」

妮拉開始慌了。事情不順利，榮寵法師不肯保護雅各。她告訴自己，她並不是想要擺脫男孩，問題在於她保護不了他。「你不會……」

「殺妳？不，妳窩藏曼豪奇家族僅存的成員之一，妳暫時不會對任何人提起我的事。」

「我會。」妮拉說。

「妳說什麼？」

「我會告訴別人，除非你發誓保護雅各。」

「妳真可愛。」

「我很認真。」

「我敢說妳很認真。」榮寵法師彎腰抓起地毯一角，把它直立起來靠牆，然後檢查一番，彷彿在考慮要怎麼把它扛回肩上。

妮拉頭皮發麻。她現在該怎麼辦？當然，她可以去弄點錢，但接下來該怎麼辦？「你的地毯在流血。」

「是啊。」榮寵法師說，看向浸濕地毯的血跡。「我以為我烤乾那些傷口了。」

妮拉感到一陣毛骨悚然。「裡面是誰?」她問。

「他?叫維塔爾還是什麼的白痴。」

「維塔斯?」

「對,就是他。」

妮拉衝到地毯旁踢了一腳,然後又一下,再一下。

榮寵法師抓住她手臂,把她拉開。「他昏迷不醒了。」他說。「而我要他活著,好繼續折磨他,逼問情報。」他補充。

妮拉踉蹌著離開地毯,靠在小巷的牆上。她覺得自己快吐了。逃出維塔斯掌握時,一切都明確無比,但如今她心裡充滿疑問,甚至有點想哭。她壓抑那種感覺,瞪著牆,努力擬定計畫。

片刻後,她很驚訝地發現那名榮寵法師還站在原地。

「你不是還要處理那玩意嗎?」她說著,朝地毯抬頭。

榮寵法師走近,妮拉拒絕後退。

「我叫包。」他說。

妮拉哼了一聲。

「聽著,我不會收留那個男孩。」包說。「我沒辦法保護他,但我可以讓你們兩個安安穩穩度過幾天,想清楚接下來要怎麼辦。」

「為什麼?」

包輕笑。「因為妳有勇氣獨自跑來要求榮寵法師辦事，而且看來妳認識這傢伙——」他用腳趾頂了頂地毯。「再說了，妳很漂亮。不過我只能幫妳幾天。」他從胸前口袋拿出紙筆，在紙上寫字。「我得把地毯拿去放。帶那個男孩到這個地址找我，看在克雷希米爾的份上，要確保沒人跟蹤你們。」

27

「不要亂動，長官。」

湯瑪士強忍住躲開歐蘭手上針頭的衝動。歐蘭把湯瑪士腦袋一側剃光，用冰涼的山泉水清理槍傷，現在正拿腸線縫合傷口。傷口幾乎貫穿湯瑪士腦袋一側的整個長度。光是想到那顆子彈只要再偏一吋，腦袋上就會多一個大洞，就讓人不寒而慄。

「抱歉。」湯瑪士喃喃說道。

空氣中瀰漫死亡的氣味，因為數千名士兵和馬的屍體都在陽光下發臭。他的手下花了整整一天外加今天早上，努力把壕溝裡的屍體都挖出來。士兵屍體排在地上，取下裝備和補給，馬屍則準備用來煮食。

戰爭或許要求禮儀，但他的部隊需要食物和補給。

傷兵的呻吟和喊叫聲傳入他耳中。凱斯和艾卓兵都在臨時醫護所裡接受治療，雙方都缺乏適當的軍醫團隊，只有經驗老到又接受過基本醫療訓練的士兵。

湯瑪士看著加瑞爾穿越營地走來。

他們用來引誘凱斯騎兵的混亂和無組織跡象已蕩然無存。一隊工兵正在努力建造一座橫跨大拇指河的橋梁。到處都是煮食炊煙，馬肉飄香。後勤官開始盤點死者身上的裝備。有很多靴子、工具、毯子、帳篷、來福槍、彈藥，甚至是火藥筒和火藥條。

加瑞爾來到湯瑪士面前，在他旁邊坐下。「瑟索將軍死了。」

湯瑪士默默低下頭，讓歐蘭更難縫合傷口。

「我很驚訝他能撐這麼久。」湯瑪士說。「剽悍的老狗。情況如何？」

「從目前的屍體判斷，我軍約有兩千人死亡，另有三千人受傷，其中有四分之一傷兵將在一週內死亡。我們半數傷兵已經無法動彈。」

這場戰役造成三千五百人傷亡，超過湯瑪士兵力的四分之一，損失慘重。

「凱斯呢？」

「光從屍體判斷，推測只有兩千五百人逃脫，剩下的不是死了就是遭俘。」

湯瑪士長長吐出一口氣。不管從各方面來看，都是關鍵性的勝利。大部分敵軍，包括高階軍官，不是死了就是遭俘。

「讓弟兄們休息。」湯瑪士說。「還站得起來的凱斯軍，全都派去埋屍體。」

「我們要如何處置那麼多俘虜？」加瑞爾問。「不能帶著走。該死的，我們連自己的傷兵都不能帶。別忘了畢昂的哥哥還帶著三萬步兵在趕來的途中。」

「他什麼時候會趕上我們？」

「俘虜都在各說各話，但把大家的說詞湊在一起，我猜大概還要一週。」

如果湯瑪士被傷兵和俘虜拖慢速度，凱斯步兵就能在他抵達戴利芙前趕上他們。

「畢昂怎麼樣？」

「他要求見你。」加瑞爾說。

「是嗎。歐蘭？」

歐蘭在外套上擦拭那根針。「縫好了，長官。看起來不是很美觀，但我縫得很密。最近別太用力思考。」

湯瑪士拿起一面野戰鏡。「我看起來像個天殺的殘廢！拿帽子來。」

「帽子會磨到縫線。」

「用手巾包起來。我不能這樣去和敵人談判。」

歐蘭替他包紮頭部，湯瑪士輕輕把雙角帽戴在頭上。

「感覺如何，長官？」

「痛得和地獄一樣。我們去找畢昂。」

湯瑪士讓加瑞爾和歐蘭走在自己前面，三人一起穿越營區。加瑞爾在大戰後只多了黑眼圈，歐蘭則習慣無視自己的傷勢。他的左手包得很緊，白襯衫肩處在滲血。「歐蘭，去處理傷口。」

湯瑪士在他們接近俘虜時說。

「我沒事，長官。」歐蘭說。

「這是命令。」

歐蘭不再堅持，一瘸一拐地走回營地。湯瑪士也不想在此時叫他走，但歐蘭有必要休息和接受治療。

俘虜被安置在臨時圍欄裡，手腳都被綁起來，由第七旅負責看守。此刻不能讓第九旅接觸俘虜，因為他們在胸甲騎兵衝鋒時受創慘重，大部分人還想見血。

「戰地元帥來見畢昂將軍。」加瑞爾對一名守衛說。守衛進入圍欄，不久後將畢昂帶出來。凱斯將軍看起來狀況不佳。他左手被繃帶吊著，額頭上有縫線，右手臂扭曲變形，似乎很痛。他走路瘸得厲害。

「將軍。」湯瑪士說。

畢昂神色疲憊地點頭。「戰地元帥，我該為你昨日在部下前救我一命道謝。」

「不必客氣。」

「啊，」畢昂說。「我是該道謝，但我不會道謝。」他低頭。「我不知道能不能在戰敗的羞辱中活下去。」

加瑞爾靠在圍欄的木樁上接話：「別太苛責自己，畢竟你的對手是湯瑪士。」

湯瑪士壓下心中的不悅。「欺敵或許不是紳士的手段，但說到底，獲勝才是戰場上唯一重要的事情。」

「這說法太對了。」畢昂說。「那道壕溝——幹得好，短短一下午就挖好並加以掩蔽，我的斥候一直在附近，但薄霧把它完全掩蓋住。你耍了我，戰地元帥，你知道我一看到你企圖過河就會下令衝鋒。」

湯瑪士容許自己輕輕點頭。

「厲害。」畢昂嘆道。「現在怎麼樣？你也看到了，你俘虜了數千人，但我們距離任何可提供贖金的城市都有數百哩。接下來的兩週內，雙方都會有數千人死於醫療不善和疾病。」

「我派人去你的營區要求和談。」湯瑪士說。「我打算用你所有士兵和大部分軍官去交換食物、補給和暫時休兵。」

「暫時休兵？」畢昂似乎有點驚訝。「身為看重榮譽之人，我得告訴你，我有很多軍官不會遵守休兵協議。你的俘虜一脫離你的掌握，立刻就會反過來攻擊你。」

「身為看重榮譽之人，我期待你會告訴我，你手下有哪些高階軍官當真看重榮譽。」

畢昂笑了笑。「啊，你要把那些人交還給我的部隊？我懂了。當然，你知道，他們的榮譽只能維持到我哥哥帶著步兵抵達，解除我和我軍官的指揮權為止。」

「我知道，而我可沒說要放你走。」

畢昂一撇頭。「我想不出你留著我有什麼用處。我哥哥追上你時，可不會因為我在這裡就不敢攻擊。」

「儘管如此，我還是暫時不想讓你待在敵方。」

「你以為我會違背休兵協議？」

「倒也不是。順便一提，瑟索將軍向你致意。」

「他進行了英勇的防禦。我曾指揮數量更少的胸甲騎兵，擊潰數量更多的步兵。告訴他，他防守得很好。」

「他死了。」湯瑪士說。

畢昂低下頭。

有人清了清喉嚨。湯瑪士轉身，發現身後有個信差。

「長官，凱斯軍前來和談。」

「當然。畢昂將軍，請？」

凱斯派來了他們僅存的軍官團，包含一名上校、五名少校和六名上尉。湯瑪士打量著他們。凱斯軍到最後關頭才撤退，但只有兩名少校身上有傷，表示剩下的軍官都在混戰前就跑了。

和談過程和他預想得差不多。凱斯軍晃了晃長劍，提出要求，但說到底他們還是清楚己方戰敗。他們用火藥和子彈交換倖存的軍官，除了少數重要人物不被允許交換。食物和艾卓境內的情況，則用士兵來交換。

「你們不可能以為我們會讓你們留下畢昂．傑．伊派爾。」凱斯上校說。「他是王位第三順位繼承人！」

「你們讓我們？」湯瑪士說。「是我讓你們活著離開。將近四千人交換乾糧、情報，還有隨時會被打破的停戰協議？吃虧的可是我。我會留著畢昂將軍，直到他父親願意用安全返回艾卓的路來換他兒子的性命。我們明天一早交換戰俘。」

他們交換關於凱斯北境的地形和畢昂哥哥步兵旅配置的情報。凱斯軍官抬頭挺胸返回營地，即使戰敗還是一臉高傲。

「我父親痛恨你。」畢昂在他們走回艾卓營地時說。「他絕不可能拿我的性命來交換你的部隊，尤其是在我戰敗之後。」

「我知道。」湯瑪士停步，轉向畢昂。「你會擁有所有符合你身分的戰俘應有的禮遇。我期待你以榮譽保證，不會嘗試逃離我的營區，也不會試圖傳遞我部隊位置的情報。只要能遵守這些規矩，你就能得到自己的帳篷，在營地裡自由行動，還能在自己的手下裡挑選兩名侍從。」

「我以榮譽向你保證。」畢昂說。

「非常好。」

畢昂被送回圍欄挑選侍從，湯瑪士和加瑞爾則留在原地。

「你真的信任他？」加瑞爾問。

「信任。」

「為什麼要留下他？」

湯瑪士摘下帽子，輕輕撫摸頭皮上的縫線。頭髮要過幾個月才會長到能遮住傷口，在此之前，他都會看起來像個半瘋的笨蛋。

「伊派爾只有他這個兒子算得上是人。我打算返回艾卓，擊退伊派爾的部隊。根據他們的說法——」他朝離開的凱斯軍官點頭。「伊派爾此刻人在艾卓。如果我有辦法殺了他和他兩個大兒子，畢昂就會成為凱斯國王。他或許會聽我講道理，幫我結束這場戰爭。」

「啊。」加瑞爾抓了抓鬍子。「你還問到什麼艾卓的情報？」

「據凱斯騎兵所知，伊派爾燒了巴德威爾，緩慢但穩定地在朝瑟可夫谷推進。西蘭斯卡和其他將軍在亞頓之翼協助下鎮守防線。據說克雷希米爾本人也在那裡，但他沒有運用他的神力幫助凱斯軍。」

「我以為克雷希米爾死了。」

「凱斯並不這麼認為。南矛山崩塌後，包貝德告訴我，神是殺不死的。」

「如果他還活著，」加瑞爾說。「他八成想找對他的臉開槍的人。」

「我知道。」湯瑪士說。「我們明天下午出發。我得趕回艾卓擋在凱斯部隊和我兒子中間。如果克雷希米爾活著，我會讓他希望自己死在南矛山上。」

阿達瑪停止動作，撫摸著艾鐸佩斯特工廠區一間停業磨坊的大門。他回頭看，努力告訴自己已經不會有人跟蹤他了，維塔斯被捕，手下都被逮捕或逃竄，阿達瑪的家人安全了。他告訴自己那些擔憂只是偏執妄想，然後推開大門。

他真的是偏執妄想嗎？他走過一張空無一物、殘破不堪的祕書桌，穿過充滿腐臭味的工人宿舍，那氣味像是有動物在裡面築巢然後又死掉。

阿達瑪成功勒索大業主。維塔斯的主人——克雷蒙提，或許還有其他間諜在城裡，而且瑟可夫谷裡還有凱斯部隊在往北進逼。

阿達瑪和他的家人還可能過上安穩的日子嗎？

他穿過另一扇門，進入磨坊的主要工作室。這個房間有好幾百呎長，沿著一面牆間隔放置著十多個磨石，大部分都已損毀或是位移。磨坊歇業時，這些機器都被遺留在這裡發爛。磨坊下方的河流傳來的流水聲充斥整個房間。

包坐在椅子上，兩根椅腳著地向後傾斜，靠著門旁的牆壁。飛兒在他身邊，嘴裡叼著菸斗，凝視著對面某物。她捲起衣袖，手臂上有血漬。

「你錯過了早上的狂歡會。」包對阿達瑪說。

「你說刑求是狂歡會？」阿達瑪問。

「我不是好人。」包說。

阿達瑪看了包的衣服一眼。「你鞋子上有血。」

包咒罵一聲，舔了舔拇指，然後去擦鞋。

「你妻子怎麼樣？」飛兒拿下菸斗問。

阿達瑪遲疑。「她……經歷了一些難關。」這算是阿達瑪這輩子說過最含蓄的說詞。菲被毆打、虐待，她整整哭了兩個晚上，不讓任何孩子離開她視線範圍超過幾分鐘。她會在短時間內從憂鬱轉為開心，然後再度陷入憂鬱，但阿達瑪不會期待任何人經歷那些事後會有不同的表現。

「她很堅強。」阿達瑪說。「不會有事的。」

包讓椅子四腳著地，站起來伸個懶腰。「很高興聽你這麼說。」

奇怪的是，包語氣聽起來很誠懇。榮寵法師通常沒多少同理心。

「來呀。」包對飛兒說。

飛兒臉上揚起笑容。她伸手到腰果袋裡拿出一顆腰果，往上一拋。包張口接住。

「我得去找理卡。」飛兒說完，拾起腳邊的皮袋。

「去吧，」包說。「換我們接手。今天早上合作得很愉快。」

阿達瑪舉手。「我有問題。」

「什麼事？」飛兒問。

「我們離開維塔斯大宅後，你們有見到一名年輕女子或是小男孩嗎？」

「紅衣女？」飛兒問。

被妳放走的那個，和維塔斯一起，差點害菲喪命的女孩。「對，就是她。」

飛兒搖頭。

包遲疑片刻。「或許……不。沒有，我想我沒見過他們。」

「可惜了。」阿達瑪說。「菲要我找到她。她也是維塔斯的囚犯，那個小男孩很可能是王位繼承人。」

「我會去打聽。」飛兒說。她分別對兩人點頭，目光停留在包身上，然後離開。

「今天早上的『合作』如何？」阿達瑪等飛兒離開後詢問。

「她很擅長審問犯人。」包說，不知道是沒聽出來還是刻意無視阿達瑪的諷刺語氣。他捏響指節，沿著石磨走去。「沒我那麼厲害，不過話說回來，我是皇家法師團的人。」包回頭看，彷彿要確定飛兒走了，然後才說。「別信任那個女人。」

「我不打算信任她。」

「很好，她效忠理卡和她尊貴的學院，除此之外沒有其他。而我甚至不確定她對理卡的忠誠有超過學院。」

「我敢說，她也會對我這樣說你。」阿達瑪說。

「噢。」包說。「我認為你也不該信任我，但你只要再和我相處一、兩天就好了。等維塔斯的事結束，我認為你們家人都安全後，我就會離開。」

包領著阿達瑪從房間末端的樓梯下樓，進入磨坊下面的水車室。樓上每座石磨下都有一端浸在水裡的小轉輪，或者說至少以前有。現在大部分的轉輪都不見了，留下空蕩蕩的水道流過地面一側。

維塔斯被綁在角落的直立輪床上。他兩條手臂都沒了——當然，兩天前就被包扯斷了。一張血淋淋的床單蓋著他的身體，很可能是為了阿達瑪才蓋的，而不是為了維塔斯。他雙眼緊閉，呼吸無力。

包踢了踢輪床，維塔斯睜眼。他立刻就想從包面前退開，但身上的束縛令他退無可退。

「你可記得我們的朋友阿達瑪？」包問。

「記得。」維塔斯低聲道，目光沒有離開包。

「他有問題要問，回答他。」

阿達瑪站在之前折磨他的傢伙面前，強迫自己回想維塔斯對他家人的所作所為。面前這個可憐兮兮的傢伙並不值得同情或憐憫。

「我兒子在哪裡？」阿達瑪問。

「我不知道。」

「他怎麼了？」

「賣了。」

阿達瑪後退一步。「賣了？什麼意思？」

「奴隸販子。」

「艾鐸佩斯特沒有奴隸販子！」

維塔斯喉嚨裡發出一陣可怕的輕笑聲，但一看到包上前立刻嚇回去。「凱斯走私者。」維塔斯說，聲音還是很輕。「在湯瑪士的看管下，抓火藥法師賣去凱斯。」

「我兒子不是火藥法師。」阿達瑪說。

維塔斯對他眨了眨眼。他的目光曾經陰險狡詐、毫無人性，如今就只是……死氣沉沉，只能這樣形容。轉向包時會浮現恐懼，除此之外，什麼都沒有。

「為什麼要賣去凱斯？」

「我的榮寵法師說他是火藥法師。」

阿達瑪開始來回踱步。喬瑟，標記師？太難想像了。「多久前？」

「一週。」

「已經離開艾卓了嗎？」阿達瑪感到胸口發悶，開始恐慌。奴隸販子，特別是火藥法師的走私者，絕對會急著把貨運出艾卓。從各方面判斷，喬瑟都已經離開，阿達瑪找不到他了。

「我認為是。」維塔斯說。

「他們要火藥法師做什麼？」阿達瑪問。「凱斯不留火藥法師活口。他們不需要走私者，他們要的是殺手。」

「實驗。」維塔斯說。

「什麼意思？」

「我不知道，就是猜測。」

「我該上哪去找他們？」

維塔斯偏過頭片刻。阿達瑪神色不善地上前一步，不過對方眼中毫無懼色，直到包摩擦大拇指和食指為止。

「濱水區的一家酒吧。」維塔斯說，目光飄向磨坊水槽裡的水。

酒吧？離這裡大概不到半哩。「說清楚。」阿達瑪說。

他審問維塔斯半個小時，弄到了聯絡人姓名、地址和通關密語。他非得搞到鉅細靡遺的資訊不可，在艾鐸佩斯特這麼文明的地方，奴隸販子通常行事很隱密，會採取幾十道防範措施。

阿達瑪問完問題後立刻衝向門口，迫不及待遠離維塔斯。那個男人令人作嘔，他擄走自己的妻子和孩子，對他們做出令人髮指的事。他用陰謀對付艾卓，雇用最低賤的惡棍。

包在阿達瑪上樓梯回磨坊一樓時小跑步追上來。

「你沒問別的問題。」包說。

「我不必知道別的事。」

「不問克雷蒙提的計畫？他打算怎麼對付艾卓？你不想知道那些嗎？」

阿達瑪停下腳步，轉身面對榮寵法師。「晚點問。我得先救回我兒子。」

「太遲了。如果落入奴隸販子手中，他現在已經離開艾卓了。」

「你怎麼知道？」阿達瑪問。

「這是常識。」包說。「還有記住，皇家法師團是個黑暗的地方，蓄奴就是他們會幹的事情之一。」

「嘖！」阿達瑪大步走向磨坊前門。

包一臉惱怒地跟上來。「我們刑求維塔斯兩天了。克雷蒙提懷有大陰謀，就連維塔斯也不清楚計畫的全貌，但克雷蒙提或許打算入侵艾卓！」

「那我想你會幫忙阻止他？」

包的沉默令阿達瑪嘆氣。看來榮寵法師一點也不想幫忙。欠阿達瑪的債已經還清了，他搞不好會離開艾卓。看來包的公民意識只有強到想要說服阿達瑪幫忙阻止克雷蒙提。

「就連維塔斯也說你兒子應該離開了。」包說。

「你信他？皇家法師團的法師還真天真。」

包湊近阿達瑪。「我擊潰他的意志。」他幾乎是用吼的。「他不敢騙我。」

「太容易了。」阿達瑪說。「我知道維塔斯是什麼樣的人，他沒有全盤托出。」

包臉上出現遲疑的神色，皺起眉頭。「不，不可能，他辦不到的。就如我所說，我擊潰了他的意志。」

「繼續擊潰他。」阿達瑪說得連自己都覺得噁心。這種折磨令他想吐，即使折磨的對象是維塔斯也一樣。「天曉得他腦袋裡還裝些什麼。」

「他幾個小時內就會死了。」包說。

「是理卡下的命令？」或許理卡認為維塔斯太礙事，不能留活口太久。如果克雷蒙提想出辦法救出他，後果將會不堪設想。

「我不受理卡號令。不需要誰命令，『自然』本身就會把我起頭的事收拾乾淨。他之所以還活著，都是因為我懂得一點醫療術的關係。我扯斷他的手臂，審問了他兩天，你以為他還能活多久？活不久了。今天傍晚，我就會把他的屍體丟進艾德海，然後遠走高飛。」

「那好吧。」阿達瑪深吸一口氣，撫平外套前襟。這下好了，他又回到原點，所有盟友都沒了。大業主斷絕聯繫，理卡忙著應付逮捕維塔斯行動的餘波，包要離開艾卓，又只剩下他一個人了。「我想是要道別了。」

包拉住右手手套的手指部位，脫下手套。他伸出手。「謝謝你。」

「不，」阿達瑪說，握住對方的手。他覺得心臟漏跳一拍。榮寵法師不和人握手，從來都不會。「謝謝你。」

包轉身往磨坊地窖走去。阿達瑪看著他走遠，希望他改變主意留在艾卓，甚至願意幫自己拯救喬瑟。但片刻後，包消失在樓梯下。

阿達瑪走向街道。此事會很難辦。或許——只是或許，或許他在艾鐸佩斯特還有個朋友。

阿達瑪停在自家門前的台階上，透過前窗往屋裡看。窗葉拉上了，但他能透過縫隙看見雙胞胎在客廳的地毯上玩耍。其中一個在玩木船，另一個想要木船，於是推開第一個，搶走玩具。

阿達瑪嘴角不禁上揚。他以為苦難過後孩子們會消沉一段時間，幸好在經歷了這麼多事後，他們依然和普通小孩一樣玩耍爭吵。他的大女兒芳妮緒在後面的房間大喊，之後她進客廳拉開兩人，大聲訓斥他們。

他推開大門進屋，沒多久，所有小孩都撲上來向他討抱索吻。他跪下來讓他們淹沒自己，感受他們都在家裡的欣慰感。他從未想過自己會在長途跋涉回家後享受這些叫喊、推擠……但他終於救回他的家人了。

笑容從臉上滑開，他沒看到菲。

「妳母親在哪裡？」阿達瑪問芳妮緒，輕輕拉開小腿上的艾絲翠。

「在床上，爸爸。」

「她今天有下床嗎？」芳妮緒看著弟弟妹妹，搖了搖頭。她年紀夠大了，知道母親吃了很多苦，也有注意到她舉止怪異，同時聰明到不想讓弟弟妹妹擔心。

阿達瑪把女兒拉到旁邊。「她有吃東西嗎？」

「沒有。」

「你們晚餐吃什麼？」

「湯，還在火爐上熱。」

「哪來的湯？」

「理卡的助手帶來的，夠全家人吃三天。」

「飛兒帶來的？」

「對，是她。」

阿達瑪握緊拳頭。那女人讓維塔斯跑了，差點害死他妻子，他永遠不會原諒她。他阻止自己情緒激動，現在不是懷恨在心的時候。「幫我裝碗湯。」

他把手杖放在門邊，掛好帽子，從女兒手裡接過湯，然後上樓。臥房裡，菲背對門躺著。即使夏日屋內悶熱，她還是把毯子蓋到肩膀。

「菲。」他輕聲道。

沒有反應。

他繞到她那一側的床邊，輕輕坐上床緣。他看到她的肩膀隨著呼吸緩緩起伏，閉著眼睛，但多年親密相處讓他知道她是醒著的。

「親愛的，」他說。「妳得吃點東西。」

還是沒反應。

「坐起來，」他說。「妳得吃東西。」

「你沒脫鞋。」她聲音很輕，有點羞怯，和他聽慣的那種盛氣凌人語氣大不相同，這讓他很是擔心。

「我很抱歉，我會清理。妳得吃東西。」

「我不餓。」

「妳一整天都沒吃東西。」

「有吃。」

「芳妮緒告訴我的。」

她對他撒謊，如今她知道他曉得了。「喔。」

「妳得維持體力。」

「為什麼？」她拉緊毯子。

「為了孩子，為了我，為妳自己。」

菲沒說話。阿達瑪看見眼淚從她緊閉雙眼的臉頰上滾落。他伸手輕輕碰了碰她的手臂。她難道不知道自己安全了嗎？她看不出來孩子比從前更需要她，而他也需要她？

「我要去找喬瑟。」他說。

她睜開雙眼。「你知道他在哪裡？」

「我有線索。」

「什麼線索？」

阿達瑪拍了拍她手臂，站起身。「沒什麼好擔心的。不過我今晚會晚點回來。」

樓下傳來敲門聲，菲猛地翻身，動作很突然，雙眼越睜越大。

「是索史密斯。」阿達瑪說，努力安撫她。「他要和我一起去。」

「線索是什麼？我兒子在哪裡？」菲問。

「沒什麼好——」

她抓住他的手臂宛如鐵鉗。「告訴我。」

阿達瑪坐回床上。他不想讓她擔心，但似乎無可避免。「維塔斯把他賣給凱斯奴隸販子了。據說是因為喬瑟是火藥法師。我要去找那個奴隸販子，想辦法救他回來。」

「不。」菲說，語氣堅定得令阿達瑪驚訝。「不准去，你經歷太多危險了，我不要在家裡等候你的死訊。」

「我對付過比奴隸販子更凶狠的壞蛋。」阿達瑪說。

「我知道和維塔斯……打交道的都是些什麼人。」菲啐道。她神色驚慌，阿達瑪看得出來救回兒子與保護丈夫和其他孩子兩股慾望在她體內天人交戰。

「我得救回喬瑟，我不能把他丟給凱斯人。」

菲捏緊他的手。「小心點。」

「我會的。」阿達瑪以最輕柔的動作掙脫菲的手。他在菲淚如雨下時離開房間下樓。索史密斯站在前廊，外套扣緊，笑看著在客廳裡玩耍的孩子們。

拳擊手對阿達瑪點頭。「準備好了？」

「是。」阿達瑪抬頭看向樓上臥房，拿起門邊的手杖。「芳妮緒，半小時後去看看你母親。」

「好的，爸爸。」

「好孩子。索史密斯，我們走。」

28

「都沒事吧？」索史密斯在他們搭乘馬車離開時問道。

傍晚微風輕輕吹拂，空氣溫暖，阿達瑪判斷明天會有暴雨。

「沒事。」

索史密斯挑眉，似乎不相信他。

「我說沒事！」阿達瑪提高音量強調。

索史密斯自顧自地點頭，倚著馬車一側。

阿達瑪透過車窗看著路人忙碌於晚間的工作。街角有個小男孩在努力販售還沒賣完的報紙，一對老夫婦趁天色全黑前出門散步。阿達瑪不知道他們曉不曉得城裡此刻暗潮洶湧，有混亂，還有戰爭。

他不知道他們在不在乎。

馬車在距離碼頭酒吧「鹹處女」兩條街外的地方放阿達瑪和索史密斯下車時，天色已經全黑了。阿達瑪看著那家店的破爛招牌掛在柱子上隨風飄擺。真是個愚蠢的名字，艾德海根本不是鹹水海。

他檢查口袋裡的短管左輪槍，索史密斯也一樣。拳擊手皺眉準備著，沒有看向阿達瑪。

「抱歉。」阿達瑪在準備好時說。

「啊？」

「我不是有意對你大吼的。」阿達瑪道歉。「你是好人，好朋友，和我一起來做這件事可能會讓你陷入危險。」

索史密斯咕噥一聲。「你還是會付錢，是吧？」

「是。」

拳擊手點頭，彷彿他就是為錢而來的，不過他眉頭鬆開了。

他們朝酒吧走去。阿達瑪一路上聽著手杖敲在鵝卵石上，然後是轉入木棧道的聲音。這間酒吧位於碼頭上，地理位置不是很好，只有一個出口，不過走私者肯定在酒吧下方藏了船，隨時準備逃走。

這裡不是適合和奴隸販子攤牌的地方。

阿達瑪推開酒吧的門，裡面安靜異常。

六名水手在昏暗的單間酒吧裡閒坐，大部分都是狀態巔峰的年輕人，身穿袒露胸肌的白棉襯衫，加上及膝褲。他們眨了眨眼，瞪著阿達瑪，彷彿他是條三眼魚。

在這種地方絕不可能保持低調。

阿達瑪側身來到吧檯，索史密斯則靠在門框上，瞪大他的小眼睛打量那些水手。

阿達瑪靠著吧檯，推了五十克倫納鈔票過去。「我要找道爾斯。」他說。

酒保表情不變。「我是道爾斯。你要喝什麼？」

「布魯丹尼亞威士忌，如果你有的話。」他說。

道爾斯這個人打扮得像個普通水手，也可能真的是普通水手。他接過鈔票塞入口袋，伸手到檯面下，拿出裝有暗色液體的玻璃瓶，目光沒離開過阿達瑪。他把玻璃瓶重重放在吧檯上，嚇了阿達瑪一跳，然後在髒兮兮的小酒杯裡倒了杯酒。

「這個季節不適合喝這種酒。」道爾斯說。

暗語都和維塔斯說的一樣。阿達瑪口乾舌燥，但他得努力防止手發抖。他拿起酒杯回答道：「所有季節都適合喝布魯丹尼亞威士忌。」

道爾斯的手腕在吧檯後扭動。阿達瑪太常被人拿棍子打了，所以那些徵兆都逃不過他的眼睛。果然，酒保舉起手，身體後傾，揮出一根約男人前臂長的木棍。

阿達瑪旋即用左手拔出手槍，右手抓住對方的手腕，阻止木棍出擊。

「我認為我們應該冷靜下來。」阿達瑪說，手槍指著酒保的鼻子。

道爾斯眼睛都沒眨一下。「對，應該。」

阿達瑪臉色發白。他感到冰冷的槍管貼上後頸，寒毛當場根根豎起。

「放下槍。」道爾斯說。

阿達瑪用舌頭舔過乾燥的牙齦，心跳聲在耳中迴盪。「我死，你也會死。」他說。

「我願意冒險。」道爾斯似乎毫不在意。

槍管更用力地抵在他的後頸上。

阿達瑪慢慢將手槍放到吧檯上。道爾斯拿起手槍，卸下子彈。「殺了他們，把屍體扔到防波堤外面。」

阿達瑪感覺一雙粗糙的手抓著自己的手臂。他被迫轉身，發現索史密斯也遭受同等待遇。三個水手抓住他，匕首抵住喉嚨，另外兩個強迫阿達瑪跪下。

「別在這裡動手。」道爾斯語氣惱怒地指示那些水手。「我可不要血灑在我的地板上。要殺去樓下殺。」

「我是來找一個男孩的。」阿達瑪在被人推向角落時喊道。

道爾斯沒理會他。

「被你走私到凱斯的男孩。」阿達瑪說。

有人拉開地毯，露出一扇暗門。索史密斯開始奮力掙扎。應付阿達瑪的其中一人跑去加入另外三人的行列，一起把索史密斯推向角落。

「維塔斯死了！」阿達瑪說。

水手停下動作。阿達瑪的手掙脫出來，轉向道爾斯，只見他舉起一隻手。

「他死了？當真？」

「當真。」阿達瑪說。「我們抓了他和他的手下，維塔斯死了。」

道爾斯嘆氣。「可惡，我們又得搬家了。」他一撇頭，阿達瑪被抓起來推了一把。阿達瑪想掙扎，但那個水手比他強壯多了。他的手杖落在吧檯附近，帽子被打掉。他一把扯住水手的頭髮，奮力反擊。

道爾斯走出吧檯，面無表情地看他掙扎。「你死在上面還是下面，對我來說沒有區別。」道爾斯說。「只不過你們死在上面，我得清理血跡。」他停頓了一下。「好吧，反正我們得搬家，看來也無所謂了。」

「他是我兒子！」阿達瑪說。「拜託，我只是想帶他回家。你沒孩子嗎？」

「沒有。」道爾斯倚著吧檯回應。他似乎覺得他手下和索史密斯之間的角力十分有趣。

「父親？你有父親！拜託！」

「我有。」道爾斯說。「混蛋兼酒鬼。要不是他摔下碼頭淹死，我遲早會親手殺了他。」

阿達瑪後退，腳下踩空掉進了暗門裡。他一隻手搭在通往碼頭下方的梯子上，一隻手掛在地板上。一個水手踩住了他的手，痛得他放聲慘叫。

「我會付錢！」阿達瑪說。「為了我兒子，我會付錢找回他！」

道爾斯輕笑。「你付不起。」

「十萬克倫納，現金！」

道爾斯挑了挑眉。「好吧。放開他，小子們。」

他走上前踢開還在用腳跟磨阿達瑪手指的水手。「我說，放開！」

水手離開阿達瑪，其他人則停止拉扯索史密斯。他們一鬆手，索史密斯立刻抓住其中一個水手的臉，把人拎起來丟出窗外。一聲悶悶的慘叫傳來，接著是落水聲。

「放開！」道爾斯吼道。

索史密斯僵住，神色猙獰，兩手抓住一名水手的手臂，彷彿隨時可以折斷它。

道爾斯看向撞爛的窗戶外面，皺眉瞪著索史密斯。「好強壯的傢伙。」他嘀咕，然後抬高音量表示。「三十萬，你兒子的價錢。」

「三十萬……」

「付錢，不然就算了。」道爾斯說。「算了的意思是現在就殺了你。」

阿達瑪默默計算。就算加上包給他的錢，他還是沒有三十萬克倫納，他得去找理卡借錢。

「我付。」

道爾斯一臉懷疑，但他在掌心吐口水，然後伸出手。阿達瑪和他握手，在道爾斯用力捏他剛剛被踩碎的手掌時忍住不叫。道爾斯把他拉出洞口，力氣比想像中大。

「他叫什麼名字？」道爾斯問。

「喬瑟。」

「啊，我記得他，很固執的小伙子。」道爾斯臉色一沉。「他已經在諾彭了。」

諾彭是凱斯在艾德海沿岸唯一的港口，位於遙遠的南方。阿達瑪覺得心臟漏跳一拍。如果喬瑟已經到諾彭……

道爾斯說：「我過去接他回來要六天左右，還得花錢疏通。凱斯人向來不喜歡放棄到手的火藥法師。」道爾斯自顧自地大聲說著，彷彿他只是在談一筆生意，而剛剛要殺阿達瑪的人不是他一樣。

「明天先付五萬。」道爾斯說。「天亮之前拿來這裡。等我從諾彭回來，再付二十五萬。」

「然後呢？」

「我們去『火烏賊』碰面。」道爾斯說。「附近一間酒吧。」

「我知道。」

「很好。」

阿達瑪護著受傷的手，希望手指沒斷。明天早上肯定會很僵硬。

「我如何能信任你？」他問。

道爾斯兩手一攤。「你不能。想救回你兒子嗎？」

「想。」

「這就是你唯一的機會。」

阿達瑪打量對方。一個奴隸販子，不值得敬重，不值得信任。他的長相看起來很誠懇，不過阿達瑪知道長相誠懇的人通常都會騙人。「我幾個小時後帶錢回來。」

「到時候見。」道爾斯說。他向門口一指，示意他們可以走了。

被索史密斯丟出窗外的水手突然從暗門探出頭來，他被玻璃劃得滿臉是血，衣服和頭髮都濕透了，一邊肩膀上還有淤泥。「我要殺了你！」他對索史密斯大叫，奮力爬出暗門。

道爾斯趁對方瘋狂撲向索史密斯時絆倒他，然後一腳踩在水手背上。他朝阿達瑪揮手道別，一邊對手下說：「別起來，不然我就讓那個大個子把你分屍。」

走到門外的索史密斯轉身對酒吧冷笑一聲。

「事情本來可以更順利，」阿達瑪說。「但話說回來……也有可能更糟。」

索史密斯的冷笑慢慢從臉上消失。「是啊，你要我和你一起回來嗎？」

「要，我需要，我認為那是個好主意。」

「我下次會準備好。」索史密斯說，那一瞬間他彷彿在考慮是不是要回去殺光他們。

阿達瑪上下打量眼前的壯漢。他的上衣被扯破了，但看起來不算太糟。沒有多少人能制伏索史密斯。

「我肯定你會。」阿達瑪說。「我們去弄錢吧。」

坦尼爾坐在帳內中央的椅子上，手腳都被鐐銬鎖著。指揮帳方圓五十呎內沒有半點火藥，在參謀總部為了逮捕他所做的各式預防措施裡，這是最讓他擔心的。他們小心翼翼地對付他——他媽的，也太小心了點。

他左右各有一名憲兵，身後有兩個，指揮帳後方還有四個。每個憲兵都手持短棒，一副他是什麼危險分子的模樣看著他。

帳篷裡空蕩蕩的，光線陰暗，後方擺了十幾張椅子。大部分的椅子都沒坐人，前方有張五人座的桌子——每個位置都保留給一位艾卓部隊的資深參謀。

坦尼爾迅速觀察了一下帳內。朵拉維和伯索上校坐在他身後，伯索碎掉的下巴用亞麻布繞頭裹住。令坦尼爾意想不到的是，亞頓之翼的資深指揮官阿布拉克斯旅長就坐在帳簾旁。她也對這場軍事審判感興趣嗎？

後方角落，伊坦上校坐在輪椅上，點了點頭為他打氣。坦尼爾努力擠出自信的笑容，雖然他一點信心也沒有。

沒有其他人來支持他了。

但話說回來，或許是參謀總部不讓其他人進帳。

畢竟，這裡是軍事法庭。

布簾摩擦，帳簾被撩起，眾將軍魚貫入內。所有人起立，憲兵粗魯地抓起坦尼爾雙臂下方，拉他起來，腳踝上的鐐銬差點絆倒他。

坦尼爾只認得凱特和西蘭斯卡兩位將軍，但他應該認得更多資深參謀才對。難道是凱特刻意操作，挑選新進將軍來擔任審判官？坦尼爾看向西蘭斯卡，獨臂將軍目光鎖定在地板上，眉頭深鎖。看起來不妙。

眾將軍就坐，坦尼爾也坐回椅子上。凱特將軍坐在正中央，不停抓著斷耳的耳根。她目光掃視帳篷片刻，最後停留在坦尼爾身上。她輕輕搖頭，彷彿典獄長在駁回假釋。

「軍事法庭開庭。」凱特說。「我擔任審判長。各位都知道，現在是戰時，面對這類案件，艾卓軍法允許我們直接進行審判，不需要檢察官或辯護律師。我們過去七天內迅速低調地進行了調查，如今根據艾卓軍法，我們將裁定罪行，宣布判決。」

坦尼爾聽見後方的帳篷被拉開，帳外的聲響一時變大，然後帳篷再度放下。

帳外的情形令凱特皺起眉頭。坦尼爾考慮回頭，但凱特還在說話。

「我們過去七天內損失了八哩領地、超過三千士兵，這些全都是因坦尼爾上尉造成的騷動，以及他散布戰地元帥湯瑪士還活著、參謀總部和敵軍合謀等謠言所導致。坦尼爾上尉涉嫌在部隊裡煽動叛亂，罪名為叛國。被告是否認罪？」

「不認罪。」坦尼爾說。他知道軍事法庭的慣例，這是標準程序，或至少伊坦上校是這麼告訴他的，而伊坦在大學時學過軍法。然而，坦尼爾擺脫不了一種感覺，就是一切終將對他不利。

凱特繼續宣告另外十幾項罪名，包括不服從並攻擊上司，所有罪名坦尼爾都不認罪。

他身後響起銀器碰撞聲，凱特將軍隨即皺眉。坦尼爾轉身看見米哈理在給所有坐在後面的人發小盤子，連憲兵都有。後面發完後，米哈理走到前面，將手臂上的一疊盤子擺上將軍桌。

「憲兵，」凱特說。「把這個人趕出去。」

「喔，只是些點心。」米哈理喃喃說道，拿了一份遞給坦尼爾。「紅酒蛋糕撒巧克力碎片，外加一點辣椒粉，休庭後外面還有熱咖啡。」米哈理背對將軍，朝坦尼爾眨了眨眼。

憲兵都沒有執行凱特的命令，他們忙著吃蛋糕。

坦尼爾勉強擠出一絲微笑。他伸手去接蛋糕，身上的鎖鏈噹噹作響，接著他嚐了一口，發現蛋糕美味無比。米哈理在所有人都吃完蛋糕後收拾餐盤，退回帳篷後面。

凱特沒動她的蛋糕。「調查已經結束，證據都呈給審判官，所有審判官都做出自己的結論。叛國罪，該如何判決？」

「有罪。」

「無罪。」西蘭斯卡將軍說。

凱特凝視坦尼爾雙眼。「有罪。」

「有罪。」

「有罪。」

坦尼爾覺得自己的胃底彷彿翻了出來。

凱特發表了最終判決：「經由多數決，被告叛國罪成立。軍事法庭裁定完成，叛國罪的刑罰是槍決。」

「子彈殺不了火藥法師。」米哈理在後面提供意見。

「法庭上不得喧譁！」凱特用木槌敲桌子。

「我沒有權力為自己辯護嗎？」坦尼爾問。「回應這些愚蠢的罪名？」

凱特嗤之以鼻。「伊坦上校有沒有對你講解過戰時軍事法庭的完整程序？」

「有。」

「那你就該知道你沒有權力說話。再隨便發言，我就把你趕出去。」

坦尼爾強忍怒意。將他趕出他自己的審判法庭？什麼亂七八糟的東西？

「基於火藥法師身分的緣故，」凱特說。「被告將會被處以絞刑。」

西蘭斯卡將軍湊向凱特，在她耳邊低聲說話。她緩緩點頭，深吸了一口氣，彷彿在讓自己冷靜下來。

「是我疏忽，過早下結論了。審判官會暫時離開，討論被告的判決。現在，休庭一小時。」

眾將軍紛紛起身。

「我可以在法庭上發言嗎？」

一道聲音打斷了凱特將軍正要出帳的動作，她停下腳步，皺眉看向坦尼爾肩膀後方。「這裡是軍事法庭。我不知道妳是什麼人，女士，但平民不得發言。」

「我不會占用太多時間。我叫飛兒，是高貴勞工戰士工會的工會次長，理卡・譚伯勒的個人助理，我代表譚伯勒先生而來。」

坦尼爾在座位上轉身。飛兒站在帳篷後方，身穿褐色西裝外套、燙平的襯衫和長褲，雙手漫不精心地塞在背心口袋裡。

「絕對不行。」凱特說。「憲兵，把這女人趕出去。」

憲兵毫不遲疑地向飛兒走去。

「凱特將軍！」飛兒大聲說。「這個妳迫不及待想要因他愛國而判處死刑的男人，正以副手的身分參選艾卓第一行政官。」

「政治不得干涉艾卓軍方事務。」凱特說。憲兵停步，不確定是否該在凱特和飛兒交談時將人趕出去。

「雙槍坦尼爾上尉是兩大陸的戰爭英雄。」飛兒說。「妳或許可以無視政治，但如果處決上尉，妳就會摧毀民眾對這場戰爭的看法，和你們的領導威信。」

「我不在乎民眾的看法。離開法庭。」

「凱特將軍，」飛兒加重語氣強調。「如果處決雙槍坦尼爾，工廠就會停工抗議，前線將會收不到軍靴、制服、鈕釦、火槍用具、上衣、帽子。赫魯斯奇街會停止製造來福槍和火槍。報紙會確保所有艾卓人民都知道雙槍坦尼爾，艾卓英雄，傳聞已經去世的偉大戰地元帥湯瑪士之子，被人捏造罪名處決。」

「妳在威脅我嗎，妳——」

「我叫飛兒。」

「飛兒。」凱特繞過桌子，穿越帳篷，指著憲兵。「妳在威脅這場戰爭嗎？」

飛兒震驚地把手放在胸口。「我？威脅妳？看在克雷希米爾的份上，我絕對不會想威脅妳，畢竟我現在就看到坦尼爾的臉被妳的憲兵打得像一大塊牛肉，而我可不想淪落到那種下場。不，我只是告知這個法庭的決定會導致什麼後果。」

「妳老闆控制工會，這表示妳在威脅我。」

「不。」飛兒扭動手指，像個在責備小孩的母親。「我的老闆是工會領袖，工會有罷工的權力，而譚伯勒先生不能阻止他們罷工。妳希望見到那種情況嗎？」

凱特湊向飛兒。工會次長也不簡單，全無懼色。

「法庭休庭一小時！」凱特轉身衝出帳篷，其他將軍跟著出去。

飛兒拉來一張椅子，對坦尼爾兩旁的憲兵揮手，他們遲疑地後退一步。飛兒把椅子放在坦尼爾旁邊坐下。

坦尼爾盯著飛兒看了一會。她打扮強勢，看起來比較像是商業女強人，而非工會次長或私人助理。不過她的眼睛充滿倦意，坦尼爾看得出來，她用化妝品遮蓋臉頰上的新傷。她伸手到口袋裡拿出一個紙袋。「吃腰果？」

坦尼爾不知道該怎麼看待這個女人。她和她老闆，很可能救了自己一命……但理卡那種人不做虧本生意。

「如果你活下來，你就會欠理卡一個大人情。」飛兒低聲道。

果然來了。「我沒請他幫忙。」

「沒有，但他幫了。你是個看重榮譽的人對吧，坦尼爾？」

欠理卡．譚伯勒人情的想法令坦尼爾作嘔。

「理卡要什麼？」

「三年。」飛兒說。「你要當個政治人物，出席節慶場合和公開演說，所有行程都會幫你安排好。沒有公開行程時，你想做什麼都可以。想睡誰就睡誰，抽掉全世界的瑪拉也無所謂。這可不是什麼艱苦的生活。」飛兒聳肩。「但若理卡剛好死了，或是遇害，你就得接下艾卓第一行政官的職位。」

「我不想當第一行政官。」

飛兒露出一個緊繃的笑容。「到時候你會比理卡更能勝任這份工作。」

坦尼爾不知道這是理卡本人說的話，還是這個工會次長在調侃自家老闆。

「我以為赫魯斯奇街沒有組織工會。」坦尼爾意味深長地瞥了一眼眾將軍剛剛離開的帳篷。

「他們不知道。」

「理卡的那些威脅是真的嗎？」

「我寧可不知道。」

那就是在虛張聲勢了。坦尼爾不禁佩服理卡，在艾卓參謀總部面前虛張聲勢要莫大的勇氣。

「理卡勒索過湯瑪士嗎？」

「喔，當然沒有。湯瑪士會把理卡當牽線木偶一樣吊起來。」

「很高興他也有極限。」

一小時的休庭延長為兩小時，然後是三小時。米哈理端上咖啡和另一輪蛋糕。坦尼爾忍不住懷疑那些將軍在幹什麼，到底討論什麼要這麼久的時間？

「這是好事，你知道的。」飛兒邊吃蛋糕邊說。

把輪椅推到坦尼爾身邊的伊坦上校也同意。「現在這種情況，判決要求五票裡有四票同意。如果他們一小時就回來，或更早，那對你來說就不太妙。他們爭論了這麼久，表示不只有西蘭斯卡將軍想要救你。」

此時，帳簾拉開，眾將軍回到帳內。飛兒和伊坦退到後方，讓將軍們就坐。

凱特盯著坦尼爾一段時間。她眼中的怒意已經消失，取而代之的是堅定的決心，她開口說道：「法庭認定被告叛國的罪行成立。我們決定撤回其他罪名，減輕單一罪名的刑責，然後立刻執行。」

「坦尼爾上尉即刻起免除艾卓軍隊的軍階，不榮譽退伍。本庭並非公開法庭，判決也不公開。不管我多想昭告天下坦尼爾已被逐出部隊，他還是有十二個小時收拾行李，默默離開營區。任何違反行為都將即刻受到懲罰。本席宣布退庭。」

坦尼爾聽見朵拉維在後面大聲抗議判決太輕，伊坦大聲爭辯判得太重。憲兵解開坦尼爾身上的鐐銬，脫掉他的制服外套。

他沒有反對，也沒辦法反對。他根本沒注意到將軍是什麼時候離開的。他們怎麼能這樣對他？在他做了那麼多，付出那麼多之後？

「坦尼爾。」

他抬頭。伊坦坐在他面前，一個傳令兵等著推他離開。

「坦尼爾，你知道我不相信那些叛國的鬼話，他們也不相信。他們如果相信，就會處決你，不管譚伯勒怎麼威脅也一樣。他們只想把你趕走。如果有什麼要幫忙，只要告訴我一聲。想找個安靜的地方養傷的話，我在北昂夏爾有棟房子，喜歡可以帶那女孩一起去。」

卡波。坦尼爾斷斷續續嘆了口氣，他要怎麼處理卡波？送她回法特拉斯塔？她願意走嗎？

「謝謝。」坦尼爾說。

他過了好一會兒才發現帳篷已經空了，連飛兒都走了。他這才想到，應該問問她理卡有沒有收到失蹤火藥的信。

坦尼爾艱難地站起身。他的腳在發抖，他想知道哪裡可以弄來一點瑪拉。不，不要瑪拉，他需要火藥，而且弄到火藥容易多了。他必須回去收拾行李。他有什麼行李？素描本和炭筆，而來福槍根本不是他的，是部隊配發的，不過或許有辦法將那把槍帶出去。他可以變賣掉部隊外套上的鈕釦。

坦尼爾暗罵一聲。憲兵拿走了他的外套。

他在意識到帳篷裡其實還有人時又罵了一聲。

米哈理坐在後面啜飲咖啡。他微微揚眉，對上坦尼爾的目光。

坦尼爾心想，毆打神不知道會怎麼樣。「你預見這個結果了嗎，你這混蛋。」坦尼爾怒道。「你叫我向朵拉維道歉，說這麼做是在挽救戰爭，但搞成這樣是能挽救什麼？剝奪我所熟悉的一切嗎？」

「未來瞬息萬變。」米哈理說。「來杯咖啡？」

「下地獄去吧。」

坦尼爾離開指揮帳，走向他的房間。他還沒走出二十步，阿布拉克斯旅長就迎了上來，沒過多久他就明白她來此的目的。

「亞頓之翼經常會跑來軍事法庭，等著徵召新傭兵嗎？」

阿布拉克斯旅長是名四十來歲的嚴肅女性，一頭金色短髮，身穿紅白相間的制服。「你太驕傲自大了，雙槍，看得出來凱特為什麼想把你趕走。你憑什麼認為我是來徵召你的？」

「沒為什麼。抱歉，女士。」坦尼爾提醒自己，他沒資格羞辱全世界最頂尖傭兵團的資深指揮官。

「我當然是……」阿布拉克斯說。「來徵召你的。我想請你加入亞頓之翼傭兵團。」

坦尼爾向來不把傭兵看在眼裡。他覺得好的傭兵都會在收了你的錢後，想盡辦法避免實戰。但他也不太情願地承認，亞頓之翼會和普通步兵一起衝鋒陷陣，他在這次戰爭裡親眼見到他們這麼做。

坦尼爾停步，轉向旅長。「參謀總部會氣炸的。」

「關我什麼事？」阿布拉克斯說。「我不向溫史雷夫女士和湯瑪士以外的人回報，不向參謀總部回報。再說了，我剛剛目睹他們將部隊裡最強的戰士送上軍法審判，我對他們的辦事能力沒有信心。就算你是個不敬上司又傲慢無禮的混蛋，你還是能夠以一當百，而我想要你待在我的部隊裡。」

「令人難以置信的明褒暗貶。」坦尼爾說。

阿布拉克斯淺淺一笑。「全都是真心話。」

「理卡・譚伯勒似乎認為他把我買下來了。」

「如果你覺得必須償還他人情，」阿布拉克斯聳肩道。「歡迎你去還，但等戰爭結束再說。我有預感你寧願待在前線，也不要回去艾鐸佩斯特和政客周旋。至少你在這裡可以射殺敵人。」

坦尼爾環顧營區。這裡到處都是爛泥巴，情況混亂，戰地醫護所傳來傷兵的呻吟聲，前線三不五時響起槍響。儘管如此，他沒辦法想像自己離開戰場，回艾鐸佩斯特坐辦公室或站上講台會是什麼模樣。

「妳的條件是？」他問。

「你以少校階級加入亞頓之翼，擁有全額薪資和福利。我讓你脫離指揮體系，只要向我回報。你唯一的任務就是殺敵軍的榮寵法師和勇衛法師。我不希望讓情況變得比那樣更複雜。」

「其他旅長同意嗎？」

「他們喜歡這種做法。」阿布拉克斯向他湊近說道。「湯瑪士不久前偷走了我們最頂尖的旅長之一。我認為他做得很漂亮，但還是傷了我們。旅長們將此視為我們的復仇。」

坦尼爾審視阿布拉克斯，她看起來夠誠懇。湯瑪士對亞頓之翼讚不絕口，加入傭兵團總比完全退出戰局要強。

「湯瑪士偷走了誰？」

「名叫薩巴斯坦尼安的年輕旅長。」阿布拉克斯說。

坦尼爾聽過這個名字，但是長相對不起來。

「你要我在亞頓之翼待多久？」

「待到戰爭結束。我們會在沒有任務時解散，你會收到全額薪資，然後解散，下次有任務時再決定要不要加入。」

「卡波呢？」

阿布拉克斯皺眉。「你的野人？」

「對。」

「喜歡就帶她一起來。我不在乎你和誰睡覺。我的形象古板，但我其實不是那樣的人。」

「我沒和她睡。她和我一起出陣，是我的觀察員。」

阿布拉克斯考慮片刻。「我只能提供士兵的薪水。」

「喔，啊……」坦尼爾聽到這個差點後退。艾卓部隊裡從來沒有人考慮過要給卡波支薪。

「聽起來不錯。」

「說定了？」

「我想是的。」

「兩個小時內，去我們營區報到。」她說。「我們會幫你安排臨時住所，明天早上配發裝備。我要你明天中午就在前線殺凱斯人。」

29

湯瑪士爬出睡袋。他停了一下，深吸一口氣。

「老了。」他喃喃自語。

每天早上，他的四肢都比前一天更加痠痛，特別是腳，起床的時間也會多花幾秒。如今睡在堅硬的地上，情況又更糟糕。過去五週每晚都是這樣。

五週。很難想像他面對凱斯大軍，計畫在巴德威爾城門側面突襲他們至今才過了五週。現在回想起來，妄想靠兩個旅的兵力擊敗整個凱斯大軍的自己，實在是愚蠢到家了。

是他的自大害他落到這個地步。如果他待在城裡，和西蘭斯卡一起防禦城門，他們就能擊退那些勇衛法師，把凱斯軍隊送入地獄。

湯瑪士站起來。他穿上老早就染血又發黃的襯衫——有他自己的血，還有其他人的血，然後是制服褲子和靴子。歐蘭晚上幫他擦好鞋，就和之前每天晚上一樣。他瞭解戰地元帥得保持形象。

最後，湯瑪士穿上外套，手臂夾著雙角帽，步入晨間的空氣中。

加瑞爾在馬背上低頭看他。他不知用了什麼方法，把他的守山人司令背心保持得乾乾淨淨。

明明他的褲子又破又髒，雙臂和肩膀上有很多焦痕、裂口和割痕，但褪色的守山人司令背心除了陳舊和洗刷的痕跡，沒有任何損傷。

加瑞爾幫湯瑪士備好戰馬，把韁繩遞給他。

「我不要和你去天殺的遠足。」湯瑪士說。

「那你幹嘛著裝？」加瑞爾環顧營區，還沒人起床。他們贏得休息的權力，加上凱斯騎兵隊潰敗、殘兵發誓不會騷擾湯瑪士、步兵還要一週才會趕上，湯瑪士讓他們稍微輕鬆幾天，可以睡到早上八點過後。

「部隊今天要出發。」湯瑪士說。

「我們會跟上。」

固執的混蛋。加瑞爾為什麼要那麼做？他為什麼一定要帶自己去？人死了就該埋起來，不要去打擾人家。他們不在乎活人的感受。

湯瑪士寧願向西方點頭致敬幾分鐘，那樣做比較實際。

「給我上馬。」加瑞爾說。

湯瑪士爬上馬背。

他們順著組成克雷希米爾手指的其中一條河流默默朝西前進。湯瑪士不知道這條河有沒有名字，當地人大概會有自己的稱呼，儘管在凱斯的這個地區並沒有很多人居住。

北凱斯有著數不清的農場和牧場，以前人口眾多。然而，過去十年對艾卓造成諸多困擾的饑荒和洪水也影響到凱斯，這導致大量凱斯人民都跑去東方的城市找工作。湯瑪士可以想像那些城市比艾鐸佩斯特更加擁擠髒亂。

他想知道艾鐸佩斯特在戰爭期間的情況如何。山裡的運河應該已經完工，可以緩解守山人的貿易需求。由於正在與凱斯開戰，食物必須與諾維或戴利芙交易。

湯瑪士和加瑞爾從最高的山丘下山，抵達克雷希米爾手指開始匯聚的地方。這裡的河流還沒有全部匯集在一起，離真正的匯集處還有幾天路程，而他們的目的地並不在那遙遠的平原上。

一路走來，岩石變多了，大圓石和突然出現的溝壑令湯瑪士懷疑此地從前是不是山區。若真是如此，是何等神力或自然力量將這裡原先的山貌摧毀？

很久以前，這片地形提供他們掩護，讓他們成功躲避伊派爾的勇衛法師追殺。

他們越過一座岩壁，進入兩條克雷希米爾手指交會的峽谷。湯瑪士捏了捏肩膀，突然在炎熱的夏日陽光下感到一陣寒意。

他看見了。一座石堆，離兩河匯流處不到五十步。石堆約四呎高，直徑六呎寬，是從附近找來的沙石岩堆積而成。

十三年來，這裡變化不大。當初兩人徒手挖開多石地面而留下的血指印早已被沖刷乾淨，湯瑪士放在最上面的石塊頂端、屬於死者的寶貴項鍊也不見了，但石堆本身還是一如當年。

湯瑪士若有所思，下了馬將韁繩綁在附近的矮樹上，慢慢走向石堆。來到這裡以後，之前心裡那股恐懼感突然變得很蠢。

他轉向加瑞爾。

這個壯漢，堅持要自己和他一起來的傢伙，似乎不太願意繼續走近。

湯瑪士斷斷續續吸了口氣，伸手碰觸石堆最上面的石頭。「坎門奈。」他說，發現大聲說出這個名字感覺很好。

石地上傳來一陣腳步聲，加瑞爾終於走了過來。

「我猜，除了你和我，沒人記得這個名字。」在湯瑪士腦海裡，這只是個胡思亂想的念頭罷了，但真說出口，聽起來卻冷酷無情，他立刻就後悔說出來了。

加瑞爾是坎門奈最後一個親人，其餘在凱斯的親戚全都被伊派爾下令處死，而在艾卓的親戚不多，還活著的也早就和他斷絕關係了。

湯瑪士試著回想坎門奈的長相，卻發現自己辦不到。他長得和加瑞爾很像，湯瑪士心想。沒那麼壯，年輕許多，散漫隨性的態度和真誠的笑容都很討人喜歡。

「你是怎麼辦到的？」加瑞爾站在石堆旁低頭詢問。

「辦到什麼？」

「在那些事情發生後繼續堅持下來？」

湯瑪士很驚訝會在加瑞爾的語氣中聽見指責。

「我有什麼選擇？」

加瑞爾想要他說什麼？加瑞爾想要他承認他睡了艾鐸佩斯大半門當戶對的女人，還有少數不太門當戶對的女人？加瑞爾想要他承認，他在艾莉卡死後那段時間，決鬥殺人的次數遠遠超過他的憤青歲月？

「我看著你哀悼，」加瑞爾說。「我看著哀悼在艾莉卡死後吞噬你。之後，曼豪奇拒絕為此開戰，你來找我說要殺了伊派爾，我知道此事非做不可。但……但我們失敗了，坎門奈死後，你變了，所有悲痛都消失。你重回社會，對所有曾看著裝艾莉卡首級箱子偷笑的蠢蛋微笑。你娛樂賓客，滿臉笑容地走上街頭。」

「我有什麼選擇？」湯瑪士又說了一次。

加瑞爾抓住湯瑪士肩膀，把他轉過來面對自己的目光。「你從未為坎門奈哀悼，你從不在乎我弟弟的死。」加瑞爾淚流不止，面紅耳赤。

「你想怎麼樣？」湯瑪士突然發怒。加瑞爾這些年來都為此對他懷恨在心嗎？加瑞爾以為坎門奈對他而言什麼都不是嗎？「你要我變成酒鬼，和你一樣嗎？」

「我要你有所表示！」加瑞爾突然提高音量。「我要你表示悔恨。我要你對我弟弟流露出一點情緒！他為你而死！」

在這種距離下，加瑞爾看起來十分高大，但湯瑪士毫不畏懼，只有憤怒和遺憾。「你還真有資格這麼說。」湯瑪士啐道。「你以為爬到麥酒桶裡就是有所表示了嗎？」

湯瑪士幾乎沒看到那一拳揮來。前一刻拳頭高舉，和火腿一樣大，下一刻他就雙耳劇震，從膝蓋高度面對地面。他眨了眨眼，頭昏眼花，嘴巴和鼻孔滲出鮮血，濺灑在滿布塵土的地面上。

他爬起身，膝蓋搖晃著。加瑞爾瞪著他，挑釁他反擊。

於是他反擊了。

湯瑪士的拳頭擊中加瑞爾腹部時，對方臉上那股驚訝之情令湯瑪士十分快意。他緊接著又是一拳，揍得加瑞爾捧腹彎腰。

「我妻子死了，混蛋！」他吼道。

加瑞爾大吼一聲，一把將他整個抱起。湯瑪士雙腳離地，心下恐慌。在擁有加瑞爾那種怪力的人面前，他就和小孩差不多。

他猛力肘擊加瑞爾的背，壯漢吃痛，叫出聲來。

加瑞爾把他高高舉起，重重摔在地上。湯瑪士感覺空氣離體，雙腳麻痺，視線模糊不清。他大聲咳嗽，一手掐住加瑞爾腹部的肥肉。

他們在地上滾了彷彿有幾個小時，吼叫怒罵，拳打腳踢。不管湯瑪士打得多用力，似乎都不能阻止加瑞爾。即使沒有進入火藥狀態，湯瑪士自認還是個強悍的戰士，但加瑞爾掙脫他的束縛，承受他的拳頭，並且以牙還牙，還以更猛烈的攻擊。

湯瑪士爬起身猛踢加瑞爾。他大舅子把他往後推，湯瑪士覺得自己的背撞上石堆。

「住手！」他說。

加瑞爾抬頭。他的臉上滿是瘀青，一邊眼睛黑了，鼻子血淋淋的。他看見湯瑪士身後的石堆後放下拳頭。

湯瑪士一瘸一拐地離開石堆，靠著一根老木頭坐下。

他檢查肋骨，其中一根可能斷了。他的臉像是被清潔工打了一小時的地毯，外套背面都磨爛了，他靠移動肩膀就能感覺出來。一隻靴子掉在石堆後面，湯瑪士完全不記得是何時掉的。

「你想知道我怎麼了？」湯瑪士問。

加瑞爾咕噥一聲，躺在湯瑪士對面，雙腳打開。

「我們埋葬坎門奈的那天晚上，就是我決定要殺曼豪奇的時候。」湯瑪士咳出一口痰吐在地上，紅色的。「我決定要挑起戰爭，不是為了人民的權利，不是因為曼豪奇很邪惡，或其他我告訴支持者的鬼話。我掀起戰爭，是為了幫我妻子和小舅子報仇。」

湯瑪士深吸一口氣，盯著自己穿著襪子的腳。他的襪子一週前就破了，大拇趾露在外面。「在哀悼的世界裡辦不到那些事。我得刺探朋友、誘惑敵人，那是第一步——說服他們我依然是最受寵的艾卓之子，是曼豪奇的保護者。下一步，是把曼豪奇的腦袋丟進籃子裡。」

「然後，當然，打仗——」湯瑪士豎起一根手指。「但我差點決定要放棄這一步了，地震和保王分子差點把我擊垮。看到艾鐸佩斯特的慘狀，我的心在淌血，但伊派爾派尼克史勞斯來艾卓，再度讓我走回復仇之道。」

湯瑪士垂下手指。「這條路，會在我為家人遭奪走而挖出伊派爾心臟那一刻結束。」

空氣凝結，四周只聽得到兩條河流交會處的水流聲。

「很棒的演說。」加瑞爾說。

「我想也是。」

「背很久了嗎？」

「大部分都很多年了。」湯瑪士說。「有些得臨場發揮，但從沒想到是對你說。」

「那你是要對誰說？」

湯瑪士聳肩。「我的孫子？我的劊子手？只有坦尼爾知道我計畫這一切的原因。」

湯瑪士在聽見馬的嘶鳴聲時轉頭。陡岸上，或許一百呎外，有兩名騎兵。他在午後的陽光下瞇起雙眼，手指伸向手槍。槍在扭打中從腰帶上掉落，躺在左側十幾步外。

騎士開始騎下陡岸朝他而來。眩目的陽光稍微消退，他認出兩張熟悉面孔，是歐蘭和畢昂·傑·伊派爾。

「有人來了。」湯瑪士說。

加瑞爾伸長脖子，看向陡坡。「畢昂和歐蘭？」

「對。」

「我可以扭斷畢昂的脖子，埋在坎門奈旁邊。充滿詩意的正義。」

「我的——我們的——仇人不是畢昂，是他父親。」

「我聽說畢昂是伊派爾最寵愛的兒子。」

「伊派爾最寵愛的兒子，每六個月就換一次。畢昂打輸了關鍵戰役。我想就算現在殺了他，伊派爾也會說他活該。」

「不是個愛小孩的父親。」

「不是。」

歐蘭和畢昂在十幾步外停下。歐蘭低頭看著湯瑪士掉在一旁的靴子，然後繞過溪谷。「有打鬥的跡象。」他說。

「遇到埋伏，我們把屍體扔進河裡了。」湯瑪士說。

「當然。」歐蘭說，但聽起來根本不信。

「我以為我命令你待在營區？」湯瑪士對歐蘭說。

「抱歉，長官。」歐蘭說。「這位將軍請我護送他一起來，以免違背不離開營區的承諾。」

「你為什麼認為有必要跟蹤我？」湯瑪士轉向畢昂。

畢昂對著石堆皺眉。「我聽說過，」他說。「關於一個火藥法師，和他兩個力量強大兄弟的傳聞。」他目光飄向加瑞爾。「很久以前的故事了，在我父親的宮廷中流傳。我父親花了很大的力氣壓下謠言。」

「所以？」加瑞爾語氣粗魯地問。

畢昂並不在意他的態度。「那個故事激發我童年時期的幻想。故事的結尾是我父親一整連的精英部隊都消失在克雷希米爾手指。有些屍體有找到，有些沒有。我一直很好奇故事是否真的如此收場。」

湯瑪士和加瑞爾對看一眼。

湯瑪士問：「而你以為跟蹤我們就能得知故事的結尾？」

畢昂又看了石堆一眼。「我想或許可以。我眼前有個火藥法師，因為我父親的命令而成為鰥夫，還有一個力量強大的壯漢。看來那個故事的結尾比我童年時期期待的還悲傷。」他朝他們低下頭，然後調轉馬頭。「很抱歉打擾了兩位。」

「沒錯！」加瑞爾大吼。

畢昂勒馬回頭。「什麼沒錯。」

「那個故事，結局很悲傷。」

「不。」畢昂說。「故事還沒結束。但無論如何，結局都會很悲傷。」

30

「火烏賊」是間漁夫酒吧，和鹹處女一樣，位在一座碼頭末端，懸於海面十呎之上。而和鹹處女不同之處在於，酒吧裡各式各樣的人都有，有工廠工人、女裁縫、磨坊工，甚至還有幾個槍匠。全城的人都知道這間酒吧提供便宜美味的淡水牡蠣。屋角有個小提琴手在演奏水手樂曲，整座碼頭都隨著上百條腿踏地的節奏搖晃。

酒吧女服務員向阿達瑪保證，這是正常現象。

阿達瑪抱著啤酒，再度環視酒吧內部。他背牆而坐，盯著門口。沒有看到奴隸販子道爾斯或他手下，也沒有看到他兒子。

快午夜了，道爾斯昨天就該在這裡和他碰面，但卻沒有出現。阿達瑪保持樂觀，今天又跑來等了一整天，大腿上放著裝有二十五萬克倫納鈔票的手提箱。他疲憊又緊張，隨著時間過去，他也越來越火大。

索史密斯坐在他身邊，強忍住呵欠，手指敲擊桌面，隨著小提琴的節奏敲打，視線亂飄。阿達瑪看得出來他已經喪失專注力了。

「該死！」阿達瑪暗罵一聲，站了起來。

索史密斯嚇一跳。「嗯？」他一臉警覺，四下尋找危險的跡象。

「他不會來了。」阿達瑪在音樂和跺腳聲中大喊。「我們走！」

索史密斯跟著他走入黑夜。這已經是一週內的第二次了，阿達瑪站在黑漆漆的碼頭上，一無所獲。他猛地踢向碼頭木樁，因腳趾疼痛而破口大罵，差點把手提箱丟進水裡，但索史密斯一把抓住他。

「你會後悔的。」

阿達瑪低頭看著手提箱。那是他全部的錢，他所有積蓄、包給他的錢，再加上向理卡借的五萬。對，他肯定會後悔的。

「我得去諾彭一趟。」阿達瑪開始在腦中算計。他得雇艘船，不能是普通的船隻，要是走私船，帶他前往凱斯管轄的城鎮，然後找出喬瑟，把他救出來。或許會遭遇榮寵法師，雖然據說雙槍坦尼爾已在南矛山殺掉了大多數凱斯法師團成員。之後他要……

索史密斯搖晃他的手臂。

「幹嘛？」阿達瑪問，不喜歡被人打斷思緒。

「諾彭？你瘋了？」

「不，我得救回我兒子。」

索史密斯嘆氣。他從口袋裡拿出一支菸斗放進嘴裡，然後塞入菸草。「你得放手。」他喃喃說道。

「他是我兒子。」阿達瑪說。「我怎麼能放手？」他無力地靠著剛剛踢的那根木樁。

「找不到他了。」索史密斯輕聲說道。

「不，找得到。」阿達瑪努力回到之前的思緒中。他有好多事要做。「你跟我去嗎？」

索史密斯吸了幾口菸。「我跟。」

「謝謝你。」阿達瑪鬆了一大口氣。諾彭是個危險的地方，獨自混入凱斯領地簡直是自殺的行為。

「我有一個條件。」

「什麼？」

「先睡一覺，然後想清楚。」

阿達瑪猶豫了一下。他今晚應該要準備出發，先收拾行李，然後去找走私者……不過，走私者在白天會更容易找到。阿達瑪擁有的絕大多數人脈現在都在睡覺。「好。」他說。「我會先去睡一覺。」

索史密斯陪著阿達瑪回家後才離開。阿達瑪目送索史密斯的出租馬車沿著街道駛離，之後開門進屋。

屋裡很安靜，只有一個孩子在哭。阿達瑪脫掉靴子和帽子，把外套掛在門邊，走過小孩的房間，在艾絲翠門外駐足片刻。她在哭，芳妮緒輕聲唱歌給她聽，緊抱著她，前後搖晃。她們都沒看見阿達瑪。

他悄悄回到自己房間。油燈的燈火黯淡，就和每次阿達瑪夜歸時一樣。

菲坐在床上，兩眼通紅，臥床後的亂髮垂在憔悴的臉旁。她看到他時，目光中僅存的希望消失了，阿達瑪覺得自己垂頭喪氣。他在她旁邊坐下，伸手摀住臉。

「你努力過了。」菲說。她好多了，他心想。儘管形容憔悴，這一週她還是逐漸恢復，會陪伴小孩了。她依舊會遠離窗口、避免出門，但阿達瑪不確定那是為什麼，或許她怕被之前抓她的人發現？

「我要去諾彭。」阿達瑪在冷靜下來後說。

菲停下輕輕撫摸他手掌的動作。「為什麼？」

「去找喬瑟。我可以在那裡找到他，就算他不在那裡，我也能找出蛛絲馬跡。」

「不行。」

「什麼意思？」

「就是不准去的意思。」菲態度很堅決。「我不准你拿生命去冒險，以後都不准了。我失去了喬瑟，但還有八個孩子，少了你，我沒辦法養育他們。」

「妳不會——」

「我說不准。」

阿達瑪可以從她的語氣中聽出此事完全沒得商量，一點希望也沒有，她會竭盡所能阻止他去。「但——」

「不准。」

他想要鼓起勇氣和她爭辯，說他有責任找回兒子，說他還有機會救回喬瑟。

但他始終沒能鼓起勇氣。

第二天早上，阿達瑪去找理卡還錢。

一個祕書在理卡的新總部迎接他。她開口打招呼，但在看見阿達瑪的表情後沉默了，領著他走到側廊的辦公室。

這裡比理卡之前那間辦公室大多了，但是一樣髒亂。

裡面很臭，一個櫃子上放了牡蠣，大概是從阿達瑪昨晚去的酒吧裡送來的，聞起來似乎已經擺了三天。理卡桌上的焚香讓那股味道更加難聞。

阿達瑪沒理會理卡的招呼，在他對面的椅子坐下。

理卡皺起眉頭，身體往後靠回椅背，兩人互相瞪視了半天。理卡的目光最後落在阿達瑪腿上的手提箱。

「他們沒出現。」阿達瑪解釋，把箱子丟在地上。「他們收了我五萬克倫納，然後就跑了。這下我兒子永遠沒了，找他回來的希望也徹底消失。我當初就不該信他們。」阿達瑪聽出自己語氣中充滿厭惡。

理卡一臉「我早就告訴你了」的模樣，但最後低聲道：「是人都會犯錯。」

阿達瑪很想摔東西。他想要抓狂發飆，摧毀理卡的昂貴家具、吊燈和水晶瓶，然後倒在廢墟裡抱頭痛哭。

「我不知道現在該怎麼辦。」他說。

理卡說：「我有事想請你幫忙。」

阿達瑪瞪著理卡很久。理卡怎麼會以為他現在會想接案？

「這可以幫你轉移注意。」理卡繼續說。「有人指控艾卓軍方在發戰爭財。我必須調查那些指控，找出證據。」

「那是憲兵的工作。」阿達瑪說。

「當貪腐的層級直達參謀總部時就不是。」

「不幹。」阿達瑪說。「我不想再和軍方扯上關係。去找更勇敢、更愚蠢的人幹吧。」

理卡忍住笑意。「你是我認識的人裡面最勇敢也最愚蠢的傢伙。」

「這點我可以作證。」房間後面有人說。

包貝德站在門口。他身穿修身的日常外套，臉頰因為早上剛刮過鬍子呈粉紅色，一手拿著手杖。他沒戴榮寵法師手套。

「你是什麼人？」理卡問。

「榮寵法師包貝德，在此為您服務。」包微微點頭。「我聽說你有一封信要給我。」

「喔。」理卡訝異地說，臉上浮現困惑。「你怎麼可能知道我有信要給你？」包微笑。

「好吧，雙槍坦尼爾寄來的。」理卡說著，開始翻找文件，拿出那封信交給包。包靠著門讀信。他把信翻到背面，檢視寫在上面的報告，接著瞇起雙眼，瞥了阿達瑪一眼。

「你有告訴他湯瑪士還活著嗎？」

「有。」阿達瑪說。

「我們沒有證據。」理卡攤開雙手。

「他還活著。」包說。「等他回來，他會拿他的參謀總部開刀。」

「如果部隊耗盡火藥，艾卓就會在湯瑪士回來之前被凱斯征服。」包輕咬嘴唇。「有雙槍坦尼爾的消息嗎？我是說，除了這封信以外。」

「他現在正在接受軍法審判。我派我的工會次長代表我出面干涉判決，但要過幾天才會知道結果。」

「軍法審判？為什麼？」包的語氣平淡。阿達瑪認為是出自他的想像，但房間內的溫度似乎真的驟然下降。

「大部分都是捏造的罪名，」理卡說。「違背命令、攻擊參謀總部的將軍等等。坦尼爾懷疑參謀總部有人在發戰爭財，甚至可能和凱斯合謀，這倒解釋了他們為什麼急於把唯一的火藥法師送軍法審判。」

包揮了揮信件。「對，我看過信了，該死。見鬼、見鬼、見鬼了！我想我可以去把他們全殺了，如果我趕到時他還沒被吊死的話。」

「那對戰局不是好事。」阿達瑪指出這一點。「而且我們目前還不知道，到底是哪個將軍在發戰爭財。」

「你以為我在乎是誰嗎？」包大聲說。他抬手，即使沒戴榮寵法師手套，阿達瑪還是不禁縮了縮。包深吸了一口氣，閉上眼睛幾分鐘後才再次開口：「我來處理。」他對理卡說。「但我或許要人幫助。」

「我的組織聽候差遣。」

「很好。」

包如同來時一般突然離開，阿達瑪發現自己再度和理卡獨處。

「好吧，這倒有趣了。你交了幾個很了不起的朋友。」理卡從菸灰缸裡拿起半根雪茄盯著看了一會兒，彷彿在決定要不要抽完它，接著他把雪茄丟進腳下的垃圾桶裡。

「我寧願不要認識他們。」阿達瑪喃喃說道。

「我現在看出來了，你需要休息，不需要工作。你該和我去旅行。」理卡說。

「什麼？去哪？」

「潘戴利芙運河啟用大典！」理卡起身拉開窗簾，露出碼頭區醜陋的工廠，還有後方艾德海上的狂風暴雨。他挑眉看了看暴雨，然後重新拉上窗簾。

「我以為那條運河叫曼豪奇國王運河？」

「沒有國王，就沒有曼豪奇國王運河。」理卡打開雪茄菸盒，抽出一根雪茄遞給阿達瑪。

阿達瑪拒絕了。

「我不會讓你哄我開心的。」阿達瑪說。

理卡在他面前揮了揮手，彷彿在腦中構想一塊掛在牆上的標誌。「我本來想將那裡命名為『譚伯勒渡口』，但我的競選委員會似乎認為，在有投票權的民眾眼中，謙遜是一種美德。議會則想要一個強化與戴利芙之間聯繫的名稱。」理卡劃了一根火柴點燃雪茄。「為了大局著想，我放棄好多東西。」

「你真可憐。」阿達瑪說。

「你會參加啟用大典嗎？」

「不會。」理卡怎麼會以為他在經歷那麼多苦難後，會想出門旅行？阿達瑪閉上雙眼，努力不去聞那些牡蠣腥臭。「包貝德怎麼辦？」

「我會吩咐我的人提供協助。跟我一起去，我堅持。」理卡說。

「絕對不去，我妻子的身體狀況不適合旅行。我的孩子——」

「你的孩子們可以一起來觀禮。我會幫你雇用保姆，你和菲可以坐我的馬車。我們今天下午就走。」

「菲才不會去！」

「她已經同意了。」

阿達瑪瞇起雙眼。「騙人。」

「我發誓。」理卡說。「我昨天有去拜訪她。」

「那她會告訴我。」

「顯然她沒說。回家去問她，我猜她準備好行李了。出城走走對你們兩個都有好處。」

「既然你都計畫好了，幹嘛還扯什麼參謀總部貪污的鬼話？」

「我想聽聽你的意見，但你沒幫上什麼忙。」

「我絕不可能——」

「所有費用都由我來出。」理卡說。他靠上辦公桌，在焚香熏到臉時皺起鼻頭。「回家準備一下，我的馬車三小時後去接你們，別再爭了。」

「你不能強迫我。」阿達瑪想發脾氣。他想過去揍理卡一頓，但他就是無法發怒。理卡說的沒錯，他得出城走走，呼吸新鮮空氣。如果孩子們也能跟去，菲又已經同意的話，或許對他們全家都是好事。

「三小時。」理卡說。

阿達瑪踢了踢手提箱，好幾疊鈔票被踢得滑到地上。「好啦，可惡！快點把那些天殺的牡蠣丟掉！」

理卡起身點頭，聞到臭味時捏起鼻子。「同意。」

坦尼爾不知道該說自己是倒楣還是運氣好。

凱特將軍十分樂意吊死他，她已經讓所有部隊高層支持她，除了西蘭斯卡以外。飛兒抵達的時機剛剛好，阿布拉克斯的工作提議能讓他進續待在前線，但被趕出艾卓部隊還是讓他難以接受。他是在部隊裡長大的，大半輩子都和部隊一起行動、殺人、流血，如今他們把他當垃圾一樣拋棄，只因為他指控參謀總部幫助凱斯。

或許他們真的有通敵。他們下達撤退命令的時機都拿捏得很準，而且根本沒理由在凱斯受挫時堅持不守住陣線。

但坦尼爾束手無策，只能加入亞頓之翼。他終於有機會剷除剩下的凱斯榮寵法師了。或許等那群可惡的法師死光後，他們會停止製造任何類型的勇衛法師。當然，坦尼爾還得弄到克雷希米爾的血，好讓卡波殺掉他。

那似乎不算太難。

一陣爆炸震得坦尼爾天旋地轉。他花了點時間站穩腳步。哪來的爆炸？

艾卓營地裡出現騷動，但爆炸似乎來自南方。坦尼爾衝上一座小丘，往南看向凱斯營地。遠方數哩外，凱斯營地和曝曬祖蘭的大木樁後方，他看見巴德威爾城的城牆在冒煙。一團低矮的雲遮蔽了城牆上方，也可能是濃煙。還是火藥爆炸所導致？有可能。

凱斯營地出現騷動，所有行動全都在針對來自巴德威爾的動靜或威脅。難道湯瑪士終於回歸了？不，不可能，除非確定艾卓軍會從正面配合，不然湯瑪士不可能攻擊敵後。

這可能是出擊的好機會。坦尼爾側過腦袋，等著召集部隊的號角聲。

他的目光飄向凱斯營地中央那根柱子，還有掛在上面晃動的祖蘭，再度懷疑她究竟是怎麼淪落到那上面去的。她意志堅定，力量強大，是克雷希米爾幹的嗎？坦尼爾無法想像其他人能夠對她做出那種事。

坦尼爾等待著。沒有號角聲，甚至沒有預告凱斯突襲的警報。

坦尼爾抵達他的小棚屋時，太陽即將西下，他有兩個小時可以找卡波和收拾行李。他該向誰道別嗎？伊坦會和他保持聯繫。還有其他人嗎？

坦尼爾靠在棚屋門口。不，沒有其他人了。待在艾卓部隊期間，坦尼爾沒交到幾個朋友，這樣離開應該比較輕鬆。

應該……

坦尼爾打開門，黯淡的陽光掃過屋內。

卡波赤裸地躺在床上，雙手伸在頭上，陰影遮住了她的臉。坦尼爾滿臉通紅，撇開目光。

「波，妳在幹嘛？」

他被突如其來的一拳打到直不起腰，下一秒，兩隻手把他推進屋裡，將他摔到地上。

他試圖在門關上時弄清楚情況，剛爬起來，背部就被硬物猛砸了一下，接著脖子一涼，一把刀抵住喉嚨。他口乾舌燥。

「不要動，火藥法師。」

對方劃亮火柴，點燃床頭的油燈。小屋裡擠了五個男人，他們斜眼瞪著坦尼爾，每個人都渾身酒氣，手持棍子或匕首。他們身穿艾卓軍外套，肩上掛著鏟子標記的肩章。是挖泥隊，第三旅，整個艾卓部隊裡最下賤的傢伙。

凱特將軍的手下。

一個士兵就著手裡的酒瓶喝了一口酒，然後對準坦尼爾的臉就是一拳。這一拳很重，打得又準，差點把坦尼爾揍到地上。從對方肩膀上的軍階來看，他是一名上尉。

坦尼爾瞪著地板，看著長長一條帶血唾液落在木板上。「你他媽是什麼人？」

上尉哼了一聲。「凱特將軍吩咐我們強暴這個女人，我們決定提早開始。」他把酒瓶放在床頭櫃上，開始脫褲子。「你就給我好好欣賞。」

坦尼爾用眼角看卡波，努力忽視她的裸體。她臉上青一塊紫一塊，嘴唇裂開，鮮血直流。她被打得很慘。

他猛然起身，立刻有人揮棍打他肩膀。坦尼爾毫無所覺，右手抓住上尉的下巴，手指伸入對方嘴裡，左手抓住上尉的額頭。

坦尼爾聽見喀的一聲，接著是肌肉、骨頭和肌腱的撕裂聲，上尉的下顎整個被扯了下來。在他內心深處，那些聲音令他害怕，但所有的牴觸都被怒火壓下。

他側臉挨了一棍，隨即轉向持棍之人。他一拳擊中那人鼻子，力道大到當場擊斃對方。坦尼爾眼前一片血紅，宛如濃霧，身體彷彿能自己展開行動。

他不記得是怎麼殺死剩下三個人的，但他身邊很快就有了五具屍體，手上和衣服上的鮮血滾燙。他跪倒在卡波身旁，她氣若游絲，睜開雙眼。

「噓。」坦尼爾在她嘴巴動時阻止她。他用毯子蓋住她，從床柱上抓起僅存的外套，穿在染血的衣服上。他抓起他的素描本和裝備塞進袋子裡，然後抱起卡波。這個房間裡沒有其他重要的東西了。

他看見她的袋子被丟在角落，離開時順手撿起。

坦尼爾一路狂奔，衝到亞頓之翼營區。一抵達傭兵前哨，立刻大呼醫官。一臉困惑的步兵在他跑過去時從哨所裡打量他。

旅長的營帳位於營區中央，並不難找。

「這裡是阿布拉克斯的營帳嗎？」坦尼爾問。

兩名守衛對看一眼。

「阿布拉克斯旅長！我現在就要見她！」

「雙槍？」

坦尼爾轉身看見阿布拉克斯從他來時的路走來，她可能才剛從艾卓營地返回。他突然想起，他們不到二十分鐘前才說過話。

「你這是在做……」她看見他的血衫和渾身是傷的卡波。「怎麼了？」

「我需要醫生救她，立刻！」

「去找醫生！」阿布拉克斯對守衛大喊。「帶她到我的帳篷。好了，扶她上我的床。她怎麼了？神聖的聖徒啊，你又怎麼了？你渾身是血，是你把她打成這樣的？」

「不是！」坦尼爾來不及克制自己就吼了出來。「當然不是，不是我，我只在乎她！救她，拜託！」

「我們會救她。」阿布拉克斯說。

「我剛剛殺了五個人。」坦尼爾說。「是第三旅的士兵，純屬自衛，但他們應該很快就會派人來找我。」

阿布拉克斯眨了眨眼，張口欲言，隨即又閉上嘴。「他們攻擊你？」她最後問道。

「對。」

「講細節，兄弟，快說！」

「五個人埋伏在我房裡，他們把卡波打成這樣……他們本來要……逼我看……」坦尼爾聽見自己氣喘吁吁地說道。

「你沒武器？」

坦尼爾點頭。

阿布拉克斯伸手摀住嘴巴，瞪著坦尼爾。「你受驚過度，坐下。你有進入火藥狀態嗎？」

「沒有。」

「五個人。」她低語，聲音幾乎細不可聞。「赤手空拳。」她看向卡波。「醫生很快就會過來。待在這裡。」

阿布拉克斯走到帳篷前面。「史都華！」她邊走邊喊，人已經走出帳外，但音量大到坦尼爾都聽得見。「啊，你在這，去找我們最頂尖的內部調查員，叫他們立刻趕往艾卓營區。那裡發生了五屍命案，我要弄清楚事發經過。」

「有特別要調查某個人嗎？還是要查明受害者怎麼死的？」一個男人的聲音說道。坦尼爾猜是那個史都華。

「我們只要調查真相。而且他們不是受害者，是準強暴犯。調查他們所有背景，我要知道他們是什麼樣的人，死前在幹什麼。」

「是，女士。」

「封鎖營區，別讓艾卓憲兵進來，壓下所有謠言。」

「當然。還有別的事嗎？」

「別走遠，我肯定還有其他事要你去辦。」

阿布拉克斯片刻後回到營帳裡。坦尼爾想起身，但發現自己還握著卡波的手。他決定要待在她身邊。

「謝謝妳。」他說。

「相信我，」阿布拉克斯臉頰漲紅，眉頭深鎖。「如果你說謊，我會親手絞殺你，但我絕不會坐視男人為了自衛和保護愛人而送命。」

不久後醫生趕來。坦尼爾拒絕離開帳篷，但在醫生檢查卡波時別過頭去。她掙扎了一會兒，他希望那是好事。

「我給了她藥物助眠。」醫生檢查完後說道。她瞪著坦尼爾。「她被打得很慘。」

「不是他打的。」阿布拉克斯替他回答。

醫生的目光轉為柔和。「她沒被強暴，指甲裡有血，指節瘀青。她頑強抵抗過，這點或許能幫助你們抓到凶手。」

「凶手都死了。」坦尼爾冷冷表示。

「很好。她身體虛弱是因為疲憊，她可能抵抗幾個小時了。她左手斷了，可能會失去一隻耳朵，不過沒有腦震盪，不幸中的大幸。」

坦尼爾回到卡波身邊，隱約注意到阿布拉克斯拉了張椅子坐在旁邊看他們。

坦尼爾不確定帳外傳來怒吼時已經多晚了。阿布拉克斯小心翼翼地起身，走出帳外。

「我不是下令要封鎖營區嗎？」阿布拉克斯問。

「阿布拉克斯旅長。」一個冷酷的聲音說。

坦尼爾伸手摀住臉，是朵拉維。

「妳窩藏殺害第三旅四名步兵和一名上尉的殺人犯，立刻把人交出來。」

31

妮拉試圖將手中的針對準目標，但感覺到手指在發抖。

「不要緊張。」包的聲音很輕柔溫和。他盤腿坐在房間角落唯一一扇窗邊的褪色抱枕上，大腿上放著一本陳年舊書，一邊看著她。「搞砸了也沒關係，我只會被魔火從內而外焚燒，像泡過燈油的乾草堆一樣瞬間被吞噬。」

「你這樣講並不會讓我覺得比較輕鬆。」妮拉說著，深吸一口氣，一針插入他的榮寵法師手套裡。位置看起來沒錯。手套得完美無瑕才能正常運作。

「我知道。」

她聽出他語帶笑意。

「你為什麼不自己動手？」

「因為我討厭縫手套，而妳又是洗衣工，應該會比我擅長這個。」

而且妮拉欠他人情。他嘴上沒說，但妮拉很肯定他是這麼想的。

她很焦躁地意識到，包說要收留她和雅各三天已經是九天前的事了，她不確定自己為什麼還沒被趕到街上去。榮寵法師似乎是最不適合欠人情的那一類人，所以當他提起有幾雙榮寵法師手套要縫補時，她立刻自願幫忙。

在此之前，她並不知道榮寵法師手套上的縫線必須分毫不差，不容絲毫瑕疵。她開始懷疑他為什麼要讓他們留下來。也許他想和她上床。她從眼角餘光瞥見他在看她。他似乎總是這樣，只在他認為她沒注意到時才會這樣做。這讓她感到緊張。

但他確實提供了他們食物和住所，還有許久未有的愉快陪伴。他冷靜、沉默，而且沒強迫她做什麼，目前還沒有。

每當她開始想像和他睡是什麼感覺，她就得提醒自己道佛德的屍塊散落在街上是什麼模樣。

包不是普通人，是榮寵法師，榮寵法師都很危險。

「這種工作要去找經驗老到的裁縫。」妮拉說。「我會縫衣服，但這太——」

「妳做得很好。」

她繼續手上的工作。他一共有十二隻手套等著修補，她補好了其中三隻，但那些手套到底能不能用……

「如果我沒縫好，你真的會被體內的魔火吞噬嗎？」

「不會。」

「混蛋！」

「不過手套就不能用了，那很可能會害我送命。」包把書放下，爬起來走到桌邊。他戴上一隻補好的手套，彈了彈手指。「沒反應，這隻沒用了。」他又拿起另一隻手套。「這也沒用。」他把兩隻沒用的手套丟在一起，戴上第三隻，再度彈指。

他的指尖冒出一瞬火苗。他摘下手套放進口袋。「這隻可以，非常好。」

「你要我……」妮拉伸手去拿那兩隻沒用的手套。

「別費心，那些我會處理。」

她以為他會回到他的抱枕和書旁，他卻拉了張椅子坐下，一腳踢開另一張椅子，把腳蹺在上面，雙手交握放在腦後。「那男孩在哪？我一整天都沒聽到他的聲音。」

「他在房間玩。我請他安靜，別打擾你看書。」

「妳很善解人意。」

妮拉縫錯了一針。她低聲咒罵，把針抽出來再試一次。他為什麼要看她？他想幹嘛？

「妳知道嗎，妳長得很好看。」

噢，這就是原因。妮拉覺得心臟漏跳了一拍。她聽說榮寵法師性慾很強，每個皇家法師團的榮寵法師都有好幾個侍妾，而且很少有女人能拒絕他們。

「有人這樣說過。」妮拉說。

「妳應該把頭髮往後梳，那樣可以讓雙頰更明顯。」

妮拉怕自己會亂說話。他剛剛問起雅各，是為了確保不被打擾嗎？他會不會下達最後通牒：要不滾出去，不然就上我的床？妮拉下定決心不和他睡覺。她的銀器還埋在城外，包剛收留他們的時候，她就一直在考慮這件事。她會挖出銀器，帶著雅各往東北方的諾維去，直奔首都，買間小房子，然後她繼續當洗衣工維生。

包張口欲言。

要來了，妮拉心想。

「妳父母住在城裡嗎？」

「我不……什麼？」

「妳父母，」包說。「他們住在城裡嗎？」

這個問題嚇了妮拉一跳。「我父母親都去世了。」她簡短回答，沒想到他會問這個。「我是孤兒。」

「喔，」包說。「我很遺憾。」

「我沒見過他們。」

包若盯著天花板，語氣帶有一絲感傷。「我父親死前，我有點印象。我也在孤兒院待過一段日子，然後就流落街頭。」

妮拉差點笑出聲。他打算用這種方式引誘她上床？用共同經歷拉近關係？「接著就加入皇家法師團？」

「不。我先認識了雙槍坦尼爾，然後他父親湯瑪士收養我，接著探測員才找上門。妳小時候接受過測驗嗎？」

包認識戰地元帥湯瑪士，對方還收養他？聽起來匪夷所思。「測驗？」

「法師團探測員來測驗妳的能力。」

妮拉發現自己又犯錯了。她抽回針，用針尖勾出線頭。「當然有，他們每年都來孤兒院。」

「妳該再測一次。」包從口袋裡拿出手套，丟在桌上。「有時候探測員會錯過法師。」

妮拉很想翻他白眼。他還在和她調情，她可以從他嘴角的笑意和開玩笑的語氣發現這一點。

「我不這麼認為。」

「隨便妳。」包又把手套收回口袋。

接下來是一段美好的寧靜時光，妮拉縫手套，包坐在椅子上，用後側椅腳當支點前後搖晃，望著天花板。然後妮拉開始胡思亂想，或許她不該去諾維，或許該渡海前往偏僻的法特拉斯塔，她或雅各在那裡不被人發現或認出來的可能性比較高。

「雅各，」包突然問。「他姓艾達明斯，對吧？」

「對。」

「妳在他們家工作？」

妮拉點頭。艾達明斯宅邸感覺是很久以前的事了，真的才過四個月而已嗎？關於那裡的記憶已經像夢境一樣遙遠。

「妳知道他父親都在幹些什麼嗎？」

「我只是洗衣工。」

「僕人會聽說各種謠言，那就是這麼多僕人在幫皇家法師團當間諜的原因。」

妮拉眨了眨眼。「有這種事？」

「好吧，是間接的，他們並不知道自己是在幫誰，只知道有人付錢買情報。」

「我沒幹過。上面叫我別管閒事。」

「可惜了。」包讓椅子四腳著地，站了起來。「雅各。」他邊喊邊走過短短的走廊，前往妮拉和雅各的房間。

妮拉停下手邊的工作，偏過腦袋。

「雅各，」包說，語氣悶悶的。「你記不記得有軍方的人去找過你父親？」

妮拉聽不見雅各的答案。

「真的？有意思，是多久以前的事？」一段沉默之後他說。「謝謝你，雅各，你幫了大忙。」

包回到房間，拿下掛在鉤子上的外套。

「你要去哪裡？」妮拉問。

「就一個宣稱從不管閒事的人而言，妳似乎很愛偷聽。」

妮拉臉紅了。

包微笑說明：「我要去公共檔案處，很可能明天才會回來。窗台下藏著一疊鈔票，去幫妳和孩子買點吃的。」他走到門邊停了一下，一手拿著手套，似乎有心事。「妳確定不想戴戴看我的手套嗎？」

妮拉推開椅子，站起身。

「我受夠了。」她說。

包揚眉，似乎真的很訝異。「受夠什麼？」

「受夠你這樣調情。如果你要我們離開，我們立刻就走，但我不會和你睡覺。」

包幾個跨步停在離她不足一掌寬的距離，傾身向前。妮拉聽見自己的心跳聲，強烈意識到如果包真的要傷害她或雅各，她完全沒有能力阻止。

「我和所有人調情。」包在她耳邊低語。「如果妳想和我上床，我不會拒絕，但我從未強暴過女人，永遠都不會，所以不要一看到我在看妳就畏縮。我喜歡看人，我覺得人很有趣。」

妮拉口乾舌燥。她往下看，包還是沒戴上手套。「如果你不想和我上床，為什麼還不把我們趕走？」

「因為我喜歡妳，」包說。「我喜歡那個孩子。但我很快就會離開這座城市，所以妳該盡快做好計畫。我一週內就會離開。」他後退。「所以……明天見？」

妮拉吞口水。「好。」

「很高興妳這麼說。」

湯瑪士的部隊通過了克雷希米爾手指的最後一條河流，在離開巴德威爾將近七週後，終於爬上北方高原。

北方高原如同南方的琥珀平原，是九國的糧食產地。和琥珀平原不同之處在於，這裡並非畜牧農場或小麥田之家，而是一望無際的豆田，因為豆子在少雨的環境下也能存活。

湯瑪士命令採集隊散入高原，接受部隊裡腦袋最清楚的士官指揮。他得盡可能在不對當地居民造成影響的情況下，採集到夠多的糧食。

他策馬來到隊伍最前方，望著北方地平線。他們還要花上數天才能穿越戴利芙邊境，看見阿維玄城，但他控制不了越來越快的心跳。要不了多久，他們就能放輕鬆下來；要不了多久，他們就能翻越查勿派爾山脈，回歸艾卓，對凱斯展開攻擊。

加瑞爾縱馬到湯瑪士身邊，他和他的馬從隊伍後方趕來途中沾了一身塵土，身後不遠處還有個騎騾子的老頭正努力跟上加瑞爾的戰馬。湯瑪士停止前進，歐蘭也停了下來。儘管高原上除了軍隊外別無他人，歐蘭的目光仍然保持警覺。

「他是誰？」湯瑪士問，朝尚在五十步外的老人點頭。

「凱斯豆農。」

「來做什麼？」

「想找你談談。」

湯瑪士對加瑞爾揚起眉毛。他不必應付這種事，加瑞爾究竟把人帶過來做什麼？「他知道我是誰嗎？」

「知道，他有很有意思的事要說。」

北方高原上的老豆農會有什麼有意思的事？

老人騎著騾子來到他們身邊。

「你就是戰地元帥？」老人用帶著濃重凱斯腔的艾卓語說，幾乎讓人聽不懂。他滿臉皺紋，棕色皮膚，可能是被高原上的烈日曬的，也可能是因為擁有戴利芙血統。北方的戴利芙和高原上的凱斯農民可以自由貿易。

老豆農面黃肌瘦。他也許曾是個胖子，但現在臉部皮膚鬆垮，病態的斑點顯示出營養不良。老人的眼中有股令湯瑪士訝異的怒火。

「我會說凱斯語。」湯瑪士用凱斯語說。

「你是戰地元帥嗎？」豆農用凱斯語再問一次。

「我是。午安。」

豆農對湯瑪士的馬腳吐口水。他齜牙咧嘴，彷彿在挑釁湯瑪士。

湯瑪士看向加瑞爾，而他的大舅子——上週和他打架的瘀傷還沒好——只是聳了聳肩。

「有事嗎？」湯瑪士問。

「你告訴我啊。」

湯瑪士又看了加瑞爾一眼。這是怎麼回事？

「我想不到。」

「你搶走我的作物。」老人說。「以乾旱的標準來看，今年收成不錯。你搶走我的妻子和女兒，你那些可惡的手下在我兒子拒絕服從他們時打斷他的腿。」

湯瑪士皺眉。可惡的步兵，就算最好的步兵也很難控制自己。他有下令不准碰當地女子，違者處死。他們要食物，但湯瑪士不要他的手下在凱斯鄉間強姦殺人。

「哪個連幹的？」他問加瑞爾。

「不是我們幹的。採集隊找到他們時，這個人和他兒子孤身待在小屋裡。他們家被洗劫一空，所有家具都被打爛。如他所說，男孩的腿斷了，終身殘疾。看起來是幾週前發生的事。」

「我很遺憾你妻子和女兒的遭遇，」湯瑪士說。「但不是我們幹的。」

「你是說我說謊？」豆農讓騾子更逼近湯瑪士。

湯瑪士深吸一口氣，提醒自己毆打老人不是結束交談的好辦法。「什麼時候發生的事？」

「十八天前。」豆農說。

「那就不可能是我們，我們才剛到。」

「那還會是誰？我認得艾卓部隊。」豆農上前拉扯湯瑪士的外套。「艾卓藍，銀邊。我不是笨蛋。」

「有多少人？」

「數千人！」豆農又說。

「加瑞爾，這裡近期內有部隊經過的跡象嗎？」

加瑞爾騎到旁邊和他的斥候討論，片刻後回來。「採集隊都回報了同樣的情況：田地遭到洗劫，所有作物都被提早收成或燒燬，弟兄們經過數十座空農場都是如此。」

湯瑪士用手指敲了敲馬鞍。他期待在北方高原上採收的糧食——沒了，全都沒了。部隊在前往阿維玄途中都沒東西可吃了。

「怎麼樣？」豆農問。「你有什麼好說的？」

「他們往哪個方向走？」湯瑪士問。

豆農似乎有點驚訝。「北方。」

「歐蘭，給這人和他兒子食物，送他回家，讓他留著騾子。」湯瑪士一甩韁繩。「加瑞爾。」

湯瑪士把罵聲不絕的老豆農留給歐蘭處理，騎馬回到隊伍最前方。加瑞爾跟上來，與湯瑪士並肩而行。

「這沒道理。」湯瑪士說。「我們在凱斯北境沒有部隊。」

「我會說那老頭腦袋有問題，但這地方是真的被洗劫一空。要搜刮整座高原需要很多人才能辦到。」

湯瑪士抓緊馬鞍上的握把。採集不到糧食，要怎麼餵飽部隊？

「要多少人？」湯瑪士問。

加瑞爾搔了搔下巴的鬍碴。「起碼要一到兩個旅。」

「穿艾卓藍制服，但又不是艾卓人。」湯瑪士在腦中琢磨。「狗屎！他們想溜進艾卓！」

「凱斯軍？」

「肯定是。他們路過這裡，假裝部隊入侵，大搖大擺溜進阿維玄，然後攻打毫無防備的守山人。他們肯定已經進入艾卓了。」

「我們該怎麼辦？」加瑞爾問。

湯瑪士手指摩挲著腰帶上一把短槍的槍托，那是他兒子送他的禮物。「我們繼續前進。追上他們，從後方突襲。」

32

理卡・譚伯勒的馬車沿著查勿派爾山脈腳下的蜿蜒公路顛簸前行，往北駛向潘戴利芙運河。西邊高山拔地而起，北方遠處還有更多高聳的山峰，白色山頂看起來像尖蛋糕上的糖霜。馬車顛簸著穿越艾德河支流上的石橋，然後又回到崎嶇路面上。

阿達瑪看向窗外，努力不去想坑坑窪窪的地面。他可不想把馬車的絨布內裝吐得到處都是。連坐五天馬車可不是什麼愉快的事，即使是理卡的這種奢華馬車也一樣。馬車底盤有最新的板片彈簧懸吊系統，還有吸震的厚椅墊，即使如此，馬車駛過一個特別深的坑洞時，仍無法防止阿達瑪的頭撞上車頂。

該死的北方道路。

不過至少菲看起來心情不錯。以目前情況來看，算是很好了。在決定不去拯救喬瑟後，她一度變得更加沉默寡言，不過她不再哭泣，彷彿下定決心要用笑容面對其他孩子。

「等運河發展起來，我們就會修路。」理卡說著，把頭探出窗外。「我打算把整條路都鋪上石板，讓正直的工會維修隊負責全年維修。」

阿達瑪很想趕快抵達目的地。再過兩個小時，他們就會住進北艾卓最頂級的旅店，有客房服務、按摩和熱水，至少理卡是這麼說的。旅店是全新的，專門接待經由運河越過查勿派爾山而來的達官顯貴和生意人。

「你就不能交給守山人去做嗎？」阿達瑪問。「我是說，維修道路的工作。我們在山丘上，那算是他們的領地。」

理卡的手指在鼻子下方猛搖。「不！不、不、不！你不知道我耗費了多大的心力才爭取到由工會來負責運河專案。守山人也想參一腳，宣稱這裡是他們的管轄範圍或什麼的鬼話，但這是工會的工作！工會雇用勤奮善良的艾卓人，不是守山人那種被迫勞動的罪犯和不滿分子。」

「他們肯定有在守衛山口要道。」阿達瑪說。

「不，」理卡驕傲地說。「那完全是工會的功勞，就連船閘守衛都是。」

阿達瑪有點驚訝。守山人可不光只是強制勞動的組織，他們長久以來都負責守衛高地，是艾卓的守門人，而他們不久前才在南矛山保衛戰中再度證明了這一點。

阿達瑪明白理卡以工會為傲，但是把國家防衛工會化，感覺很奇怪。

他們在運河南方數哩外停車用餐。阿達瑪一家和保姆們一起吃飯，理卡則和飛兒討論山裡的計畫。午餐結束後，阿達瑪晃到旅店外去伸展腿腳。

旅店位於一條山溪旁，阿達瑪聽著溪水在路下蜿蜒流向河邊時發出的汩汩水聲，然後抬頭望向北方。

他所在的位置能看見運河的船閘，如同台階般沿著山邊往上走。從這種距離看來，整座運河彷彿一座模型，即使親眼所見，他也很難相信這條運河真實存在。一條運河竟翻越了整座高山。

船閘本身就是前所未見的奇蹟工程，完全由人力打造，沒有仰賴魔法，除非你要把工會雇用的技能師算在裡面。儘管路面顛簸，阿達瑪還是知道，能在啟用大典前參觀船閘肯定不虛此行。

喬瑟一定會想看看這條運河。

理卡和飛兒走到外面，一起研究一張地圖，指著道路。他聽見他們在討論石板、磚塊和水泥之間的差異。

山上有東西吸引阿達瑪的目光。距離很遠，他不確定，但是……

「理卡，」他開口打斷兩人交談。「你有望遠鏡嗎？」

飛兒說：「我有。」

她走回馬車，過了一會兒回來交給阿達瑪一副望遠鏡。

「我以為你說明天才是啟用大典。」阿達瑪詢問理卡。

理卡皺眉望向運河。「是沒錯。」

「那運河上不該有船吧？」

「還沒有。我是說，有測試過，但要啟用後才會有商業運輸。怎麼了？你看見什麼？」

阿達瑪湊上望遠鏡找出船閘位置。船閘進入視線範圍後，他看見了剛剛吸引他目光的東西。

每座船閘上都有一艘船，不是普通船隻，是可以在大海航行的商用船，有數排火砲和高船桅的那種，總數肯定超過數十艘，他還能看見小小的人影在操作船閘，讓整排商船緩緩降下山側。

那些船上都掛著綠白條紋旗，中央有個桂冠。阿達瑪覺得一陣腿軟，恐懼之情油然而生。

他把望遠鏡塞進飛兒手裡。「帶孩子們回馬車上，我們要回艾鐸佩斯特！立刻！」

「什麼？」理卡疑惑地搶過望遠鏡。「你是怎麼回事？啟用大典是明天，我們……」他湊上望遠鏡後就沉默了。

「幸好你沒讓守山人保護你的運河。」阿達瑪在跑向馬車的途中回頭叫道。「不然布魯丹尼亞—葛拉貿易公司就不會這麼容易讓他們整個艦隊渡河。」

「他們要把我送回艾鐸佩斯特。」坦尼爾說。

卡波睜開沒有腫到睜不開的那隻眼睛。

坦尼爾繼續說：「凱特將軍說這是民事案件，因為我已經不是艾卓軍方的人，又還不算亞頓之翼的人，所以我會被送回艾鐸佩斯特，軟禁到開庭。」坦尼爾在帳篷裡來回踱步，手裡拿著阿布拉克斯旅長的信，上面寫著軟禁的條件。「開庭要等好幾個月，到時候戰爭可能已經結束，而我們或許輸了。」

坦尼爾停止踱步，躺上他的床。他還能怎麼做？他花了一個小時和阿布拉克斯爭辯。旅長宣稱她權力有限，除了提供坦尼爾在艾鐸佩斯特軟禁的房子之外，什麼都不能做。亞頓之翼的規章不讓他們徵召等待開庭之人。

「我要殺了她。」坦尼爾說。

卡波在床上掙扎坐起。他們住在亞頓之翼營區中距離艾卓軍最遠的帳篷裡。她的綠色眼眸濕潤，坦尼爾懷疑她晚上哭過。

他本來以為隨著時間過去，在卡波能起身走動之後，他的怒火會逐漸消失。但看她傷勢復元得如此緩慢，反而讓他比之前更加火大。她的嘴唇腫脹裂開，臉到現在依然瘀青滿布。

她攤開雙手，動作很不好看，因為手掛著吊帶。要殺誰？

「凱特將軍。肯定是她命令……命令他們那樣對妳。她肯定知道要把我絞死沒那麼容易，那些人抓了妳好幾個小時。」

卡波搖頭。

「不是？不是什麼？醫生說妳有反抗，說妳……」

她再度搖頭，用拇指比了比肩後，做出抓東西的動作，再指向自己。

「他們抓到妳了？」

她想了想，又用手指比畫走路的動作。

「他們跟蹤妳?」

點頭。

她伸手去拿袋子，卻皺起眉頭。坦尼爾幫她拿來，她接過袋子在裡面翻找。

卡波開始在床上排列娃娃。一眼就能讓人認出來的娃娃有西蘭斯卡將軍、凱特將軍，整個艾卓軍的參謀總部成員都有。

坦尼爾盯著娃娃。每次看到那些娃娃，他都為她能在蠟上刻出那麼多細節而驚歎，但這次他看到了更多東西。他認得所有人，其中有些人，像是西蘭斯卡，是他從小就認識的。蠟刻娃娃有幾處有真人毛髮，其中一個娃娃上抹了一滴血，令他毛骨悚然。

「妳為什麼要做他們的娃娃?」坦尼爾問。

卡波偏過頭，彷彿在說這是個蠢問題。

「預防萬一嗎?」

點頭。

「妳在拿凱特的東西用來做娃娃時，被挖泥隊發現了?」

又點頭。

如果不是她已經渾身是傷，坦尼爾就會一巴掌打過去了。她這樣做危險到了極點，如果有人懷疑她的魔法性質，又看到她在將軍營房鬼鬼祟祟，她不但會遭到一頓毒打，還會被關起來。

「儘管如此，」他繼續說。「他們說，她叫他們強暴妳。」他的怒火消退，只消退一點，但足以讓他肌肉放鬆下來。他靠回椅背，雙手掩面。「我還是該殺了她。」

卡波用拇指比了比自己。我來殺。她攤平手掌，彷彿要停下來，接著又做出「如果有必要」的嘴型。

「該死！波，我——」

「咚咚！」帳篷外傳來人聲。「我能進來嗎？」是米哈理，那個可惡的主廚。要不是因為他，根本不會發生這些事。坦尼爾會繼續待在艾卓部隊，卡波也不會被凱特的惡棍毆打。

「給我下地獄——」坦尼爾一開口，就被卡波輕輕搭在手臂上的手制止了。她點了點頭。坦尼爾深吸一口氣要平復心情，但沒用。

「進來！」他大喊。

米哈理拉開帳篷，端著一個大餐盤矮身進入帳篷。盤蓋下冒出蒸氣，散發出溫熱麵包和……什麼味道？是蛋。

坦尼爾別過頭。他不要吃米哈理的食物，他不想讓對方稱心如意。

米哈理把餐盤放在坦尼爾床上，打開盤蓋，還湊上前把香氣揮向坦尼爾。「溫熱玉米粉甜脆皮蛋糕淋楓糖蜂蜜，佐水煮蛋。」

卡波眼睛一亮。這是法特拉斯塔的主食，但在九國很少見。她立刻抓起一塊，在雙掌間拋來拋去，直到涼到可以用手拿。

坦尼爾微笑，不過他假裝咳嗽。他不打算讓米哈理看出他高興的樣子。

「你想怎樣，亞頓？」

「喔，拜託，」米哈理說。「叫我米哈理。『亞頓』這個名字太高不可攀了。」

「好吧，你想怎樣？」玉米麵包的香味讓坦尼爾口水直流。

「我是來道歉的。」米哈理說。

卡波拍了拍她身邊的床。

「謝謝！」米哈理坐下，這讓坦尼爾起了一絲妒意。

「道歉？為了你叫我和朵拉維和好，還讓我被趕出艾卓部隊？」

米哈理挑眉。「天啊，不是！那是必須發生的。」

「什麼？」坦尼爾氣急敗壞。

米哈理揮了揮手，彷彿那沒什麼大不了。

「我道歉，是因為我說我不要幫你殺克雷希米爾，我不認為他該死。」

坦尼爾再也忍不住了，他伸手拿起一塊玉米麵包，彷彿手有自己的意志。他咬了一口，心情當即好轉。玉米麵包又軟又濕潤，在他嘴裡化開，蜂蜜鮮美到好像剛從蜂窩裡掏出來。

「你改變心意了？」坦尼爾邊吃邊問。

「我本來可以好好解決這件事，甚至根本不必解決。」米哈理說著，從餐盤上拿起一塊玉米麵包，塗抹果醬。「兩個月前，我和克雷希米爾說好了，我們兩個不直接參戰，那之後艾卓軍的情況就每況愈下，這你也看得出來。但凱斯營區的情況也好不到哪裡去。」米哈理停頓片刻，舔了舔手指上的蜂蜜和麵包屑。「克雷希米爾在大量屠殺他自己的子民。」

「很好。」坦尼爾語氣輕蔑。

「不。」米哈理說。「不好。我常和克雷希米爾交談，我們可以連結空間來交談，而當我們這麼做時，我可以看見他的內心。他要發瘋了。」米哈理吞嚥口水，悲哀地低頭看著玉米麵包。「徹底瘋狂。」

「我不在乎。」

「坦尼爾，你認為發瘋的神光靠殺自己人能撐多久？他可能會想摧毀九國，甚至是全世界。我不認為他辦得到，就連克雷希米爾也沒那麼強大，但如果他嘗試這麼做，很可能會殺死活在這個世界上的所有生物。」

「我阻止過他一次了。」坦尼爾說。

「所以你特別適合執行這項任務。」

「你難道不能阻止他嗎？」

「魔法就某方面而言很容易預測。」米哈理解釋。「所有榮寵法師都遵循一套模式，從最低級的法師到克雷希米爾那種級別的都一樣。我可以預見那些模式，加以反制。然而，如果克雷希米爾在瘋狂狀態下出擊，那便會是完全隨機的。我能保護自己，但保護不了別人。」

坦尼爾思索著。神真的會發瘋嗎？

「是那顆子彈的關係，對吧？」

米哈理似乎在思考這件事。「我跑去參謀總部會議瞎混的時候，聽過我方間諜送來的報告。凱斯營地中謠傳克雷希米爾在枕頭上咳血，說他晚上會在營區遊蕩，問自己的護衛是否就是燧發槍後的那雙眼睛。」

坦尼爾口乾舌燥。燧發槍後的那雙眼睛，除了他，還能是誰？發瘋的克雷希米爾在找他。坦尼爾很不願意問，但又不得不問：「能治好他嗎？至少讓他講講道理？」

「我不知道。」米哈理說。「我昨晚和他討論此事時，他氣炸了。巴德威爾的爆炸你肯定聽見了吧？那是他幹的。那場爆炸死了數千名凱斯隨軍人員。」

「不算重大損失。」

米哈理皺眉。坦尼爾感到神經末梢微微一顫，像是接觸到某種魔法。他突然開始懷疑自己是否應該離米哈理這麼近。

「那些人，」米哈理說，顯然在壓抑自己。「不是軍人，是洗衣工、麵包師和製鞋匠。他們的性命瞬間消失，只因為我問錯了克雷希米爾一個問題，惹他生氣。」米哈理搖頭。「我知道殺人是你的專長，但人命關天，特別是那麼多條人命，全都……」

米哈理陷入沉默。他又咬了一口玉米麵包，若有所思地咀嚼著。他的目光停留在卡波排在對面的娃娃上，手指顫抖，彷彿在緊張。

「他還有足夠的理智製造那些火藥勇衛法師。」坦尼爾說。

米哈理說：「那是唯一讓我認為他還有機會復原的跡象。他還沒徹底發瘋，我或許有辦法治好他。不過我得先制伏克雷希米爾，而光靠我自己辦不到。」

說這話的時候，米哈理一直看著卡波，坦尼爾不喜歡這種情況。

「怎麼做？」

「她辦得到。」米哈理說，朝卡波點頭。「我想我提過，在我過往轉世中曾數度接觸過骨眼法師，他們的魔法非常適合戰鬥、傷害、保護，甚至是控制他人。我從未遇過像卡波這麼強大的骨眼法師，而且她一切都是自學……」米哈理越說越小聲。他在喘氣，臉色漲得通紅。

控制他人，米哈理剛才這麼說。卡波控制了自己嗎？他知道她之前保護過他，他也見過那些娃娃的威力。

「如果治好他呢？」坦尼爾問。「他會結束戰爭，不再去管艾卓嗎？」

「我相信他會，他狀況不太好。」

「你相信他會，還是你確定他會？他曾誓言要摧毀艾卓。」

「他不會那麼做的，我會確保這點。」米哈理攤開他肥胖的雙手，看著卡波和坦尼爾。「拜託，幫幫我，幫幫我的兄弟。」

卡波指了指她的斷臂，然後指著米哈理。

米哈理揚眉。「當然，這是我的疏忽。」他閉上雙眼，卡波突然倒抽一口氣。

坦尼爾撲上前摟住她的背，以免她跌倒。「你對她做了什麼？」

卡波推開坦尼爾，解開手上的吊帶。她伸展查看了一番手臂，輕輕點頭。他發現她臉上的瘀青也都消失了。

「我也可以治好你的傷。」米哈理說。

坦尼爾後退。「不用了，謝謝。」坦尼爾暗罵自己是笨蛋，為什麼要拒絕神的治療？他害怕米哈理的魔法嗎？或是怕欠他人情？光是阿布拉克斯和理卡的人情，就要還上很多年了。

坦尼爾摸了摸被凱特憲兵打腫的臉。「我要留著提醒自己。」

「請你……」米哈理說著，站起身來。「考慮一下我的要求。我有禮物答謝——無償贈送。」

坦尼爾對於神的禮物持保留態度，畢竟天下沒有白吃的午餐。「什麼禮物？」

米哈理從口袋掏出手帕和匕首，先將手指劃過刀刃，用手帕擦了擦，再把手帕交給卡波。那是血，是神的血。坦尼爾覺得心跳加速。卡波會怎麼處理神的血？她能控制米哈理嗎？還是會殺了他？

卡波默默把手帕塞進袋子裡，露出難以言喻的表情。

米哈理退開幾步，將剩下的玉米麵包和蛋放到一個錫盤上，遞給卡波。他拿起空餐盤，微微鞠躬。「拜託，」他說。「考慮我的提議——我的懇求——幫幫我。」他深深鞠躬，然後離開。

坦尼爾斷斷續續吸了口氣，低下頭，發現他還拿著寫有軟禁條件的那封信。他今天早上就要被押回艾鐸佩斯特，他們會派八名憲兵押解他，四名隸屬亞頓之翼，四名艾卓軍的憲兵。

坦尼爾不能繼續對抗凱斯或殺掉他們的神了。

卡波碰了碰坦尼爾的胸口，在他心臟上方戳了好幾下。

「幹什麼？」

她指了指他，攤開雙手，一臉質疑，然後又看他。

「女孩，我不知道妳是什麼意思。」他說，努力壓下心中那股沮喪。

她又看向他的心口，伸出手指強調。

「問我想怎麼做？」

點頭。

坦尼爾深吸一口氣。「我現在想殺人。我很憤怒，我應該要在外面作戰，我是為了作戰而生——為了保護艾卓而生。」

她再度指了指他，然後指地板。那你現在想怎麼樣？

「我想保護妳。」

卡波微笑，坦尼爾覺得心跳加速。她湊上前，嘴唇貼上他的唇。

「我要弄來克雷希米爾的血。」坦尼爾說。

米哈理停在一個大湯鍋前，湯杓舉在嘴邊。

「我知道了。」

「卡波同意壓制他，但她需要他的血。我需要你幫忙，讓我能溜進凱斯營地。」

米哈理想了一下，然後喝一口湯。「嗯，味道不錯，要再加點胡椒。」他從圍裙裡拿出胡椒罐，倒了點到掌心，雙掌摩擦，看著胡椒落入鍋裡。他攪拌湯，然後又喝一口。「完美。」

「要認真看待你，有時候還挺困難的。」坦尼爾說。「不，我說錯了，任何時候都很難。」

米哈理輕笑，但坦尼爾不是在說笑。

「凱斯營地。」坦尼爾說。

「我可以替你遮掩行蹤，讓你直接走過凱斯崗哨。」米哈理說著，走向伙房區中央的大烤肉架，手法熟練地把火雞腿翻了個面。

坦尼爾聽見身後傳來叫聲時連忙縮身。他回頭看了一眼，發現不是在叫自己。在艾卓營區走動很危險，就算穿著便服還戴上三角帽遮住臉也一樣。他此刻應該在憲兵的看守下才對。

「你在這裡也不會引人注目。來隻火雞腿吧。」米哈理用鉗子夾起一隻腿遞給坦尼爾。

「看起來很燙。」

「沒那回事，主廚絕不會拿燙人的食物給客人。」

坦尼爾有些忐忑地接過火雞腿。雖然剛從炭火中取出，但骨頭只有餘溫。他一口咬下，油脂順著他沒刮鬍子的下巴流下。他啃完整隻腿後才開口說話。「你怎麼能讓別人看不見我？」坦尼爾問。「你之前要卡波允許才能接觸我的心靈。」

「我都處理好了。」米哈理說。

坦尼爾正在骨頭上挑碎肉，聽見這話身體一僵。他左顧右盼。「我不覺得自己隱形了。」他低頭看著火雞骨頭。「你……」

「對，」米哈理說。「向人體施展任何有建設性的魔法，對榮寵法師而言都是最困難的事，這就是治療法師如此稀有的原因。我在一千年前就發現了，要讓魔法進入人體最簡單的方式，就是透過他們的胃。」米哈理拿起火雞腿咬了一口，臉上突然浮現擔憂。「幫我保守祕密好嗎？」

坦尼爾嗤之以鼻。「我不會告密的。」

「喔，謝謝。」米哈理大聲地啃完他的火雞腿，然後從烤肉架上拿起另外一隻。「可以拿一隻給卡波嗎？」

「會讓她隱形嗎？如果我現在就隱形了，她又怎麼看得見我？你又怎麼看得見我？」

「我看得見你是因為我是神，而卡波可以感應到你的存在。我的法術不會遮蔽你的聲音。」

「如果我打噴嚏？」

「嗯——」米哈理用鉗子拍打圍裙，留下油膩的痕跡。「別打噴嚏，這法術是有缺陷的。例如：只要你一接近克雷希米爾的影響範圍，法術就會失效。要是讓克雷希米爾察覺我入侵，事情就會脫離掌控。」

坦尼爾看著自己的手，他一點都不覺得自己隱形了。「你花多久時間弄好這道法術的？」

「一下子。」

「真的？」

米哈理揚起一邊眉毛。「我們之所以是神，不光是因為我們是法力最強大的榮寵法師，雖然那也是一種解釋方式。我們之所以為神，是因為普通人要花很多天、很多個禮拜，或好幾個月達成的事，我們只要動念之間就能完成。」

「啊，好吧，我要走了。」

「等等。」米哈理憑空拿出一個白鑞杯走向湯鍋，舀了一整杯湯，然後蓋上杯蓋。「這個給卡波，你不在的期間能幫助她好眠。」

坦尼爾轉身要走，又覺得不妥。「亞頓——米哈理？」

「嗯？」

「你會保護她嗎？」

「我認為把血給她之後，需要被保護的人是我。」說完，米哈理眨了眨眼。「那女孩就像裝滿火藥的玻璃茶壺，很脆弱，卻擁有強大的毀滅力量。」他抬頭挺胸，用湯杓敬禮，湯汁濺在他的圍裙上。「她不會受到傷害的。」

「謝謝你。」坦尼爾說。「我這就去弄來你哥哥的血。」

33

湯瑪士看著歐蘭在部隊紮營休息時替馬刷毛。一堆用灌木和草原樹枝燃起的營火在他面前的石圈裡劈啪作響。太陽還掛在西方天際，明亮的紅光、橘光、粉紅光照亮整片高原。

上高原後的第二天，他們的補給開始不足。他們在十四天前的戰役後屠宰了幾千匹凱斯戰馬，但只能攜帶部分馬肉同行。他們得配給僅存的糧食，每天一人一磅肉其實不算多。

湯瑪士聽見隨風而來的聲響，隨即抬頭。他等候片刻，轉頭看向營火。歐蘭在他身旁折斷樹枝，丟進火堆。

他的巡邏隊還沒找到那支神祕的艾卓部隊，不過沿路有很多那些人留下的痕跡。拔光的豆田、燒燬的農場、屍體和垂死之人，以及只剩下老人和嬰兒的北方高原農家。高原已是一片乾燥的荒原，兩週前經過的部隊殺光了所有活物。

他命令部隊在營區周圍挖掘六呎深的壕溝。很累人的工作，但他可不要半夜被一群憑空冒出來的部隊偷襲。有些士兵還在挖地，傳來鏟子刮過岩石和泥土的聲音，還有步兵行軍一天後仍要勞動的咒罵聲。

湯瑪士再度抬頭。那聲音是哪來的?他側過頭，努力找出聲音來源。一無所獲。

難道是戴利芙人背叛他?今年初夏，湯瑪士要求對方聯手對付凱斯時，戴利芙國王的回應十分堅定，他們承諾絕不會參與其中。

「戰地元帥，我可以坐下嗎?」

湯瑪士抬頭。拉長的影子讓他一時看不清來人，過了一會兒才認出畢昂・傑・伊派爾。湯瑪士指了指營火對面，畢昂輕手輕腳地矮身盤腿坐下。凱斯將軍眼眶深深凹陷，臉色蒼白，他是少數被湯瑪士留下來當作人質的凱斯軍官之一，其他軍官都被送回凱斯部隊了。

「你的手怎麼樣了?」湯瑪士問。

畢昂低頭看著掛在吊帶裡的左手。「還不錯，謝謝你。我的醫生說手臂沒斷，但在激戰中失血過多，再過一陣子就能復元。你的傷呢?」

「沒事。」湯瑪士伸出兩根手指摸了摸肋骨，一臉疼痛。他和加瑞爾打架時應該沒打斷肋骨，但他覺得好像全身都腫起來了。「我希望離開巴德威爾時有帶佩屈克醫生同行。但話說回來，我當時的計畫和現在的情況相去甚遠。」

畢昂點頭，望著火堆。他深吸一口氣，張開嘴又閉上，過了好幾分鐘後才終於開口。

「我記得之前騎馬穿越北方高原的情形，」畢昂說。「應該有六、七年了，我和我父親的幾個榮寵法師一起擔任戴利芙使節團。當時這片土地比較綠，人口也更多。」畢昂露出悲傷的笑容。「城鎮會為我們舉辦慶典，有好幾千人──驕傲快樂的農民。」

「如今我不禁要想，我的國家怎麼了？」畢昂環顧四周。「過去兩天，我看見無數廢棄的農場，豆田都沒了，只剩一片乾巴巴的黃土。我聽說有乾旱，這裡和九國其他地方都有，但我沒想到情況這麼糟。更糟的是，我的人民去哪了？我們今天早上經過一座農場，裡面本該有的作物被踐踏，房舍也全被燒光。我得來問一問，戰地元帥，是你派人幹的嗎？你在摧殘這片土地嗎？」

「你所見的慘狀不是我的手下所為，我保證。」湯瑪士說，對方的指控傷了他的自尊。

「那肯定是強盜了。」

湯瑪士不曉得該不該讓畢昂知道自己在懷疑什麼。「我認為不是。」

畢昂似乎沒聽見。「兩天前，」畢昂說。「我經過一個騎騾子的老人身旁，他哀求我撥亂反正，趕走摧殘我們國土的艾卓入侵者。」畢昂語氣小心翼翼，彷彿在試水溫。

「我的斥候回報有另外一支部隊路過此地。」湯瑪士說。「而活下來的農奴說，他們身穿艾卓藍色制服。這讓我感到奇怪，因為我確信我在凱斯北部沒有部隊。」

畢昂看向湯瑪士，眉頭深鎖，彷彿想看出湯瑪士有沒有說實話。

湯瑪士問。「有沒有可能是你父親派部隊北上，假扮艾卓軍，企圖翻山越嶺溜過戴利芙？」

「我不清楚。再說了，我們的士兵不會在自己的國土上幹這種事。」

湯瑪士不知道畢昂怎麼會對步兵的道德觀有如此高的評價。

歐蘭突然抓起來福槍站起來。「長官，」他說。「你聽見了嗎？」

湯瑪士停下來側耳傾聽。沒有動靜。

等等，有了，聽起來像叫喊聲，很遙遠。他站起身。附近有塊高地，在那可以看得更遠。他掃視地平線，專心留意遠處的聲響。

「找到了。」歐蘭說著，指向北方。

高原上塵土飛揚，是數名騎士策馬狂奔時會捲起的那種塵土。「備馬。」湯瑪士對歐蘭說。「快點！」

湯瑪士跑過營地。火藥法師全都在他帳篷旁數百碼的地方紮營，大部分火藥法師都在，他們正岔開雙腳，脫掉靴子，一邊閒聊，一邊輪流喝著天知道哪裡弄來的酒。芙蘿拉在看見湯瑪士時立刻起身。

「安卓亞、芙蘿拉，」湯瑪士叫道。「跟我來。其他人傳令下去，部隊戒備，北方地平線上有騎兵。」

「有多少人，長官？」芙蘿拉在他們奔向營地北端時問。

「我們去弄清楚。」湯瑪士說。「妳知道加瑞爾在哪裡嗎？」

「他在巡邏。」安卓亞回答。

「在哪裡巡邏？」

「北方，我想。」

「該死！你們兩個去騎馬。」

歐蘭帶來湯瑪士的馬和來福槍。湯瑪士翻身上馬，不等其他人就往北奔馳而去。歐蘭迅速跟上，而他的馬到目前為止甚至還沒休息卸鞍過。

「長官，怎麼回事？」歐蘭在響亮的馬蹄聲中大聲問道。

「騎兵。」湯瑪士說。「很多的騎兵。」

「會不會是加瑞爾的巡邏隊？」

湯瑪士剛想說是，目光卻被遠方塵土吸引。揚起的塵土越來越大片，看來起碼有二十匹馬，但加瑞爾的巡邏隊是兩人一組。

他們遠離營地，沿著大路北上。湯瑪士回頭瞥一眼，看到更多人騎馬離開營區，跟在他身後數百碼外。

湯瑪士在口袋裡翻找火藥條，身體隨著胯下戰馬的動作起伏。他把火藥條塞到嘴裡咬開，咀嚼火藥，感受硫磺的苦味，接著吐出濕掉的火藥紙，火藥狀態開始在血管中竄流。

地面在他的坐騎下飛速掠過，地平線變得清晰無比。他看著那團沙塵，尋找源頭。看到了，數哩外有一名騎士。

湯瑪士皺眉。只有一個？騎士趴在坐騎上緊抱馬頸。湯瑪士認出那似乎是加瑞爾的巡邏兵。沒過多久，巡邏兵後方一座土丘後又冒出更多騎士。

他們身穿銀邊藍制服，還有艾卓重裝騎兵的圓錐馬毛頭盔。

湯瑪士罵了句髒話。艾卓重裝騎兵？不可能。如果是真的，巡邏兵就不會在他們前面逃亡。

湯瑪士回頭看向歐蘭，但保鏢看不了那麼遠。

「是重裝騎兵在追殺我們的巡邏兵！」湯瑪士對著他吼道。「他們雖然穿艾卓藍制服，但並非友軍。」

歐蘭的反應就是加快馬速。

湯瑪士低頭，在拉近他們和巡邏兵之間距離的同時計算馬蹄的節奏。隨著距離接近，他看出重裝騎兵和巡邏兵約相距半哩。巡邏兵的馬口吐白沫，大力甩頭，看來撐不了多久了。

湯瑪士朝巡邏兵揮舞手槍，示意他停下來。巡邏兵在湯瑪士身旁勒馬，那匹馬發抖著搖搖晃晃，雙眼亂轉。巡邏兵的臉和上半身滿是塵土，被汗水浸濕。

「加瑞爾在哪裡？」湯瑪士問。

巡邏兵大口喘氣，試圖說話，接著朝後方揮手。「後方……很遠……交戰，讓我有機會……逃走。」

「對方是誰？」

「凱斯人！我們以為他們是友軍，但加瑞爾一說艾卓語，他們就展開攻擊。」

湯瑪士轉向重裝騎兵，迅速計算了一下人數。十六人。他們大吼大叫地揮動卡賓槍，在看到湯瑪士和歐蘭後也沒有放慢速度。他們很快就會衝到他面前。湯瑪士抬起另一隻手，穩穩握住手槍，閉上一隻眼，輕扣扳機。

他在腦中計算時間，專注在火藥上，讓子彈在早該落地的情況下持續飛行，同時將手槍插回槍袋，拔出另一把。

子彈正中眼睛，隊伍後方的一名重裝騎兵落馬。

一、二、三……

湯瑪士握穩第二把手槍，開火，又一個重裝騎兵倒地，同樣是隊伍後方的人。湯瑪士不想嚇跑騎兵，他們似乎沒留意到有夥伴墜馬。

「歐蘭！過來！」

湯瑪士腳一夾緊，催馬前進。他插回第二把手槍，拔出他的騎兵劍。劍柄的皮革老舊強韌，握著十分順手。

重裝騎兵在七十碼外持卡賓槍瞄準，接著射擊。湯瑪士聽見一顆子彈呼嘯而過。

如果你不是火藥法師，要在馬背上擊中目標是很困難的事。

他舉起長劍，看著領頭的重裝騎兵。對方少了一邊耳朵。無耳兵收回卡賓槍，順勢拔出騎兵直劍。

湯瑪士在手握韁繩的情況下從制服口袋裡抓出一把火藥，花了兩秒研究無耳兵的劍所在位置，然後看向旁邊幾名重裝騎兵。湯瑪士傾向右側，高舉長劍。

雙方隨即展開交戰。

湯瑪士在馬鞍上滑向左側，險險避過無耳兵的劍。他的騎兵劍劃過血肉，劍尖三吋貫穿無耳兵的脖子。湯瑪士將一顆子彈推到拳頭頂端，用拇指彈入空中，燃燒火藥條裡的火藥，將子彈送入下一名重裝騎兵的心臟。他隨即揮劍，從馬頭上方帶過，擋下左側重裝騎兵的劍擊。

他又拋出一顆子彈，燃燒火藥，往後射中無耳兵的脊椎。

湯瑪士手持長劍，背靠馬頸，壓著轠繩。一名隊伍後方的重裝騎兵上前狠狠送出一劍。格擋，再格擋。

重裝騎兵動作很快，戰技高超。湯瑪士拋出子彈，擊中對方的肩膀。重裝騎兵丟下劍摀住手臂，湯瑪士長劍直接插入對方胸口。

他轉身接著尋找下一個目標，卻發現有兩名重裝騎兵已經向歐蘭投降。南方一段距離外，兩道身影前冒出硝煙——芙蘿拉和安卓亞。湯瑪士騎向一名投降騎兵。

「加瑞爾在哪？」他以凱斯語問。

重裝騎兵瞪他。

「加瑞爾在哪裡？壯漢！他在哪？」

重裝騎兵搖頭。

「見鬼了。」湯瑪士清理長劍，插回鞘中。「歐蘭，跟我來！」

「長官，我的馬瘸了。」歐蘭下了馬。他的馬驚慌失措，頸部傷口血流不止。

「那就騎上他們的馬！」

「戰俘……」

「別管他們！我不要再讓我的兄弟死在這個爛國家裡！」

湯瑪士沒等歐蘭回答就策馬前進。片刻後，他回頭看見歐蘭和火藥法師努力跟上。

太陽沉入西方的地平線，將湯瑪士籠罩在黃昏的光線中。他繼續奔馳，夜晚的熱風吹動他的頭髮和外套，吹乾他臉頰上的血跡。他的戰馬開始掙扎、呼吸粗重，不管他如何驅趕都無法提高速度。

隨著黑暗降臨高原，他失去了歐蘭的蹤跡。詭異的狼嚎聲蓋過呼嘯風聲而來。他的火藥狀態消退，於是又攝入一條火藥，喚回狀態。道路在馬蹄聲中化為殘影。

他不知道自己騎了多遠或多久，戰馬突然倒下。他從馬鞍上飛了出去，摔在數呎外，肩膀重重著地。

湯瑪士掙扎起身。夜裡什麼都沒有，萬籟俱寂，沒有他的手下跟來的馬蹄聲，沒有重裝騎兵的蹤跡或動靜，只有他的戰馬在大口喘氣。

加瑞爾在哪？他出了什麼事？

湯瑪士伸手掠過又濕又髒的頭髮。他的帽子沒了，不知道什麼時候吹掉的。他蹣跚走去查看戰馬，雙腳因為騎得太久太急而發抖。

戰馬側躺在地上，轉動眼珠看向他，鼻孔和嘴角都有白沫和血。湯瑪士眨了眨眼逼退淚水，一手撫摸馬腹安撫牠。牠抖動一下，試圖起身，結果發出一聲慘叫，那聲音撼動了湯瑪士的靈魂。馬腳骨折了，骨頭插出皮肉。牠肯定是踩到地上的洞，然後累到摔倒。

湯瑪士拔出手槍，緩慢仔細地裝填彈藥。

槍聲在高原上遠遠傳開。

他拿起鞍袋、彈藥、手槍和來福槍，開始往北走。

他不知道自己什麼時候停下來，只知道他突然跪倒在地，望著雙手，掌心因為緊握韁繩已經破皮。他的騎馬手套呢？他搖了搖頭，想要起身繼續走。

結果卻雙手抱住頭。

又一個兄弟走了，他僅存的家人都走了，或許只剩下兒子。湯瑪士又辜負了家人。

他應該停下來審問那些凱斯重裝騎兵，查出加瑞爾是生是死，被他們抓去哪裡，他們有多少重裝騎兵。

湯瑪士知道自己是笨蛋，竟然那樣騎馬。情急拚命的笨蛋，想救他大舅子，還孤身去救。

湯瑪士哭了。

淚乾之後，湯瑪士聽見道上傳來馬蹄聲。蹄聲穩健，從南方過來，聽起來只有一組聲音。

「湯瑪士？」一個女人叫道。

是芙蘿拉。

她又叫了一次他的名字。

馬蹄聲逐漸接近，然後停下。她跳下鞍，踩響了地上碎石，然後雙手搭上他的肩膀猛力搖晃。

「長官，拜託出個聲！湯瑪士！」

湯瑪士深吸一口氣，屏息數秒，然後吐氣。

「我在。」他被自己低沉沙啞的聲音嚇了一跳。

他感覺對方在他手裡塞了樣東西。他低頭，是水壺。他喝了口水。

「你的馬……」

「摔斷腿了。」湯瑪士說。「我得送牠上路。」

「我知道，我看到了，在大概兩哩外。你一路走過來的？」

「可憐的馬，因為我不願停下來而送命。」

芙蘿拉伸出冰涼的手掌握住他後頸。「再喝點水。」

「我找不到加瑞爾。」湯瑪士說。「我找過了，但找不到。我又辜負他了，又一個兄弟沒了，我最後一個兄弟。我……」他覺得眼淚又要奪眶而出，於是停下來深吸幾口氣。「歐蘭在哪？」

「他的馬在十五哩外脫蹄。」

「十五哩……」

芙蘿拉捧著他的臉，強迫他抬頭看自己。他不知道她看見了什麼，一個髒兮兮的崩潰老頭躺在路邊？

「湯瑪士，」芙蘿拉說。「你騎了將近四十哩，再過一小時天就要亮了。」

湯瑪士眨了眨眼擠出眼眶裡的淚水後抬頭往上看。他覺得自己在看截然不同的世界。月亮高掛天際，星星閃閃發光。

她盯著他好一會。他知道她看得出來他火藥和子彈都快沒了。他不知何時丟掉了來福槍，但手槍沒丟。手槍是坦尼爾給的。不，他不會把那兩把槍丟掉，那是坦尼爾——他兒子——送的。

湯瑪士奮力起身，讓芙蘿拉撐著他。他望向北方。四十哩遠，他現在已經在戴利芙了，距離阿維玄比他的部隊還近。

愚蠢，天殺的大蠢蛋。

芙蘿拉走向她的馬，開始卸下馬鞍。

「妳在幹嘛？」

「紮營。」芙蘿拉說。

「我得回……」

「別傻了，湯瑪士，部隊兩天後會跟上來。如果你今晚繼續走，等我們抵達阿維玄，你會完全派不上用場。」

她說的很對，但他不喜歡這種情況。

他爬起來。「我是妳的——」

「我的頂頭上司，我知道。睡袋拿去，我先站哨。」

湯瑪士低頭看著塞到自己手裡的睡袋，然後抬頭看月亮，最後轉向北方。阿維玄就在那片黑暗之中，高原邊緣之外。

「又一個兄弟，」他聽見自己又說了一遍。「又一個。」

34

湯瑪士一直睡到正午的烈陽把他從輾轉反側的睡眠中喚醒。他突然坐起來，低頭呆呆地看著腿上的帽子。他舉起帽子轉了一圈，發現這不是他的帽子，太小了。

芙蘿拉。她不見了，湯瑪士懷疑昨晚她來找自己只是熱暈後的一場夢。

「她去幫馬找水喝，長官。」

湯瑪士看向身後。歐蘭坐在一塊岩石上，小心翼翼地清理卡賓槍，身旁放著鞍袋和水壺。湯瑪士舌頭在嘴裡轉了一圈，又乾又熱，舌頭已經腫成了兩倍大。

「水壺。」湯瑪士說。

歐蘭將水壺丟給他。湯瑪士大口喝水。

「你什麼時候趕到的？」

「黎明過後。」歐蘭神色古怪地看著湯瑪士。「你看起來不太好，長官。」

湯瑪士伸手拂過僅存的頭髮，輕輕摸著頭皮上的縫線。「昨晚弄丟帽子了。」

「啊。」歐蘭的目光彷彿在說：怎樣，現在是絕口不提你昨晚像瘋子一樣衝出去的事了嗎？你他媽究竟是怎麼回事？

湯瑪士別過頭。「這天殺的高原上沒多少水源。」

「我們晚上經過一條古河床。」歐蘭說。「我看不出河底有沒有水，芙蘿拉去查了。」

湯瑪士起身，沿著營地走了幾圈。他覺得很糟，腳痠痛抽筋，尤其是瘸的那隻。還有胯下磨傷、臉部刮傷、雙手破皮，頭也因為喝太少水和睡眠不足而疼得厲害。每次停下腳步，他就忍不住轉向北方，看向阿維玄，然後再望向南方。

芙蘿拉一小時後帶著馬和裝滿水的水袋回來。

下午稍晚，剩下的火藥法師和十名歐蘭的來福槍戰隊趕來。又過不久，好幾名巡邏兵跟上，湯瑪士立刻派他們去探查北方。

傍晚時分，湯瑪士看見北方地平線上出現騎兵，距離數哩。他們沒有接近，但可以看出他們身穿艾卓銀邊藍制服。這些冒牌貨是誰？也是凱斯人嗎？

第二天下午，部隊抵達湯瑪士所在的位置就地紮營，他的第一道命令就是把兩天前那些凱斯騎兵帶上來。

對方一共三人，他們模樣狼狽，馬、武器、裝備、頭盔都被沒收，臉被太陽曬傷。其中一人瘸得厲害，褲子上的血塊顯示那是最近受的傷，另一人少了兩顆門牙。第三人沒穿靴子，他用染血的破外套裹住腳掌。

一名守衛指著用外套包裹腳掌的士兵，那人的白色內衣被血汗染成棕色和黃色，留著短棕髮和大把落腮鬍。「那是他們的少尉。」守衛說。「他把外套撕爛前，外套上是這樣標明的。」

「他的靴子呢？」湯瑪士問。

「我們拿走了。」守衛說。「為了逼他說話。」

湯瑪士嘆氣。「去拿來，不能這樣對待軍官，就算是戰俘也一樣。」他轉向少尉，用他的語言開口問道。「你叫什麼名字？」

對方假裝沒看到湯瑪士。

「告訴我你的名字，我就把靴子還給你。」

「什麼？」對方用腔調很重的艾卓話回答。「我不會說凱斯話。」

湯瑪士翻了個白眼。「我知道你是凱斯軍官。繼續假裝自己是艾卓軍官，我就以逃兵罪槍斃你。」他傾身上前。「我可以對我自己的手下做很多不能對戰俘做的事。」

對方目光飄向湯瑪士，神色畏縮。「莫諾伯少尉，」他說。「隸屬國王第三十四騎兵隊。」

「莫諾伯，你在這裡做什麼？」湯瑪士問。「我們在戴利芙。」

「你們抓到我們時，可不在戴利芙。」莫諾伯說。

「你們從北方來，北方就只有戴利芙。」

莫諾伯目光轉回湯瑪士肩膀後方，不再說話。片刻後，守衛帶莫諾伯的靴子回來。湯瑪士接過靴子交給莫諾伯。

莫諾伯拿過靴子。「容我暫且告退？」

湯瑪士點頭。

莫諾伯坐在地上，輕輕解開腳上的外套。湯瑪士皺眉看著他的腳。少尉的襪子都爛了，血跡斑斑，腳掌皮開肉綻。看來他在沒有靴子的情況下走了很多哩路。對方小心地穿回靴子，起身時忍不住呻吟。

「有給他們水喝嗎？」湯瑪士問完，發現守衛沒回答，於是轉向他。「怎樣？水或食物？」

守衛搖頭。

「可惡，士兵，去弄點食物。他們是軍人，和你一樣。」

守衛快步離開。

「他去幫你拿吃的。」湯瑪士用凱斯語說。

「你們來戴利芙做什麼？」湯瑪士又問。

莫諾伯點頭，面露感激。

莫諾伯深吸一口氣，繼續瞪著湯瑪士身後。

湯瑪士皺眉。「你知道我是誰嗎？」

對方搖頭。

「我是戰地元帥湯瑪士。」

莫諾伯用力吞了口口水。

「跟我來。」說完，湯瑪士又轉而問另一個守衛。「畢昂將軍的營帳在哪裡？」

「長官，你確定這樣好嗎？」守衛似乎很困惑。

「什麼意思，士兵？將軍的營帳在哪裡？」

「就在那。」

湯瑪士穿越營地，看見畢昂坐在一堆樹枝和老馬糞生的營火旁邊。將軍見湯瑪士過來連忙起身，在看到戰俘後瞇起雙眼。

「畢昂將軍，」湯瑪士說。「從你的舉止看來，你非常想知道是誰在高原上姦淫擄掠、燒殺搶奪。」

「我確實想知道。」畢昂語氣冰冷地說。「事實上，我昨天晚上就知道了。這些人都是凱斯軍官，假扮成了艾卓人。」他低頭看著莫諾伯的腳。「誰把靴子還給他的？」

湯瑪士的目光從畢昂轉向莫諾伯，少尉眼中充滿恐懼，湯瑪士突然就明白了，是畢昂下令奪走莫諾伯的靴子，八成也是他命令不給少尉食物的。湯瑪士的手下肯定非常樂意服從這些命令。

「是我。」

「我要求你除下這個人的靴子，並且組織行刑隊。我要明天一早以屠戮凱斯百姓的罪名處決這些人。」

湯瑪士壓下回嘴的衝動。他不會聽命於一個囚犯，即使他尊敬畢昂也一樣。他轉向莫諾伯。

「看來你該解釋一下自己的行為了，少尉。」

莫諾伯雙手顫抖。「你想知道什麼？」

「一切。」畢昂說。以他的歲數而言，他很有指揮官的架勢。

湯瑪士一手搭上莫諾伯的肩膀。「首先，告訴我加瑞爾在哪裡。他身材高大，兩天前被你的士兵虜獲，就在你追趕我的巡邏兵回營區之前。」

「他們把他抓回阿維玄。」莫諾伯說。

「活著嗎？」

「是。」

湯瑪士輕嘆一聲。他最須要知道的就是這個，現在該是弄清楚其他事情的時候了。

「長官，就這樣嗎？」

「不，從你的單位說起。」湯瑪士說。

「我隸屬三十四重裝騎兵隊，國王陛下王軍十九旅。」莫諾伯說。「我們奉命北上……」

「誰？」湯瑪士問。「多少人？」

「兩個旅，十九旅和二十四旅。我們七週前奉命北上，任務是要攻占戴利芙的阿維玄城。」

「目的為何？」湯瑪士問。現在是他提問的機會，這傢伙一發現他的答案對敵軍有多少助益後就會立刻閉嘴。

「目的是要圍攻阿維玄上的守山人據點。我們要攻占阿維玄，然後是守山人據點，接著翻越查勿派爾山，進入艾卓境內。」

「制服是怎麼回事？」湯瑪士問。

「欺敵，確保戴利芙以為是艾卓軍洗劫了阿維玄。」

湯瑪士噎住。如果凱斯軍假扮艾卓軍攻擊戴利芙，戴利芙或許就會被迫加入凱斯陣營。

「成功了嗎？」

莫諾伯看向畢昂，結果被冷冷瞪了一眼。「我們攻下了阿維玄。」他說。「約一週半前。守山人指揮官看穿我們的偽裝，所以我們還沒入侵艾卓。我們正在圍攻守山人據點。」

「少尉，你要怎麼解釋我子民的遭遇？」畢昂問。「我們的同胞？」

「我並不因此感到驕傲，長官。」莫諾伯目光低垂。「我們離開皇軍時，奉命輕裝便行，以最有限的補給車隊維生，仰賴民間資源度日，必要時強行徵兵。這是國王陛下親口下的令。發現艾卓巡邏隊時，我們正在執行斥候任務，尋找更多食物和兵力。」

「我父親同意這種行動？」畢昂吼出了這個問題。

莫諾伯點了點頭。

「十九旅的將軍是誰？」

「本來是戰地元帥——我是說，丁恩將軍。」莫諾伯說。

將軍因為進攻南矛山守山人堡壘失敗而被降級。「本來是？」湯瑪士提出疑問。丁恩是能力不錯的指揮官，不過太過務實，不太注重士兵性命。湯瑪士並不驚訝他會幹出這種事。

「他被絞死了，長官，罪名是叛國。」

「絞死？」畢昂問。

「我是這麼聽說的，長官，也看見了屍體，就在上週。」

「他是一名將軍。」湯瑪士說。「只有伊派爾能下令絞死他。」他後退一步，深吸傍晚的空氣。情況很奇怪，非常奇怪。伊派爾是暴君，但不是笨蛋，他不會主動挑釁戴利芙。

湯瑪士轉向兩人。「是誰說服伊派爾攻擊阿維玄是好主意的？」

「我不知道，長官。我……」

「怎樣？」

「這個，我無權得知那種事，但我聽過謠言。」

「繼續講。」

「是那個榮寵法師。」

「哪個榮寵法師？」湯瑪士覺得毛骨悚然。大部分凱斯榮寵法師團的人都死在南矛山了，至少他是如此聽說的。

「據說他是從艾卓逃出來的，是國王陛下的使節。他只花了兩天時間就說服國王陛下攻打戴利芙。」

湯瑪士雙手抓住莫諾伯的肩膀，突然感到一陣絕望。「他的名字！可惡，他叫什麼？」

「就是他絞死戰地元帥丁恩的，現在人在阿維玄。」

「告訴我他天殺的名字。」

「尼克史勞斯公爵，長官。」

阿達瑪在自家客廳踱步，思索著要如何安頓家人。

他們花了四天時間趕回艾鐸佩斯特。自從發現布魯丹尼亞—葛拉貿易公司的船隊走運河船閘系統翻山的那天下午後，他就沒再見過理卡。理卡堅持要去調查究竟出了什麼事，阿達瑪則直接帶家人回艾鐸佩斯特。

他擔心理卡被人抓走。

阿達瑪提醒自己，目前所知太少，難以做任何決定。或許貿易公司的船隊有正當理由出現在那裡，但他心裡總是會回到同一個結論——艾卓即將遭受布魯丹尼亞侵略。

那感覺就像是阿達瑪所有噩夢全部成真。克雷蒙提以強大的貿易公司艦隊入侵艾鐸佩斯特，而艾卓所有兵力都投入南艾卓的凱斯戰線，首都毫無防禦能力。守山人被理卡自己趕出運河防線，他們完全無法阻止克雷蒙提沿艾德河開船攻占本城。

克雷蒙提計畫多久了？他肯定早在幾週前就已經攻下船閘系統，然後賄賂戴利芙海軍，讓他從海洋沿運河航行過來。

克雷蒙提究竟想把艾卓怎麼樣？他要征服艾卓，還是要艾卓的資源？布魯丹尼亞─葛拉貿易公司是受雇於凱斯，又或是獨立行動？阿達瑪覺得後者比前者更可怕。如果布魯丹尼亞和凱斯都想爭奪艾卓，艾鐸佩斯特就會慘遭雙方勢力摧殘。

他得讓家人離開首都。誰知道占領部隊會幹出什麼事？

但要去哪裡？

南北各有一支部隊，他們被前後包夾。

他可以把他們送去諾維。阿達瑪在諾維沒有認識的人，或許他能……

有人敲門。阿達瑪抓起桌上的手槍，喝了口紅酒，走向前廊。

「待在樓上。」他看見艾絲翠在樓梯平台探頭探腦時囑咐道。

阿達瑪打開門，發現門外有個僕人。阿達瑪認得他，不過不知道他的名字。那是理卡的人。

「阿達瑪調查員？」僕人說。

「是？」阿達瑪謹慎地回應。

「先生，譚伯勒先生請你去工會總部一趟。馬車在等。」

「他回來了？」

「不到一小時前回來的，先生。」僕人說。

會不會是陷阱？會不會是克雷蒙提的間諜已經入城，等著阿達瑪露面，然後殺他？還是這只是阿達瑪的偏執妄想？「他有說是什麼事嗎？」

「沒有，先生，只是要你去一趟。」

「等我一下。」

阿達瑪走到屋後的花園，菲坐在那裡看書。陽光自屋頂間灑落，菲仰頭迎向陽光，將書放在腿上。

「親愛的。」阿達瑪輕喚。

菲嚇了一跳，書滑到地上。她伸手壓住胸口。

「不要那樣嚇我。」她說。「有人敲門嗎？」

阿達瑪撿起書交還給她。「有，是理卡的信差。理卡要見我。」

「然後呢？」

「我要妳去諾維。」他說。

「不去。」

「拜託，別再爭了。」他們這趟回程途中都在爭論她和孩子該怎麼辦。她想待在城裡，而他要她離城。「你們在諾維比較安全。」

「就像我們在納佛克比較安全一樣？」她語氣不善。

「菲……」

「別來那套。」她說。「我們待在一起。別再來什麼為了我們好而送我們走的鬼話。我和孩子，我們哪兒都不去。」

阿達瑪張口欲言，但想不出能說什麼。他很清楚他辯不贏，但他還是想要爭辯。她為什麼就是不明白，待在安全的地方比較好呢？

最後阿達瑪湊過去親吻她額頭，說道：「我去看看理卡怎麼說。」

35

坦尼爾趁著夜色掩護穿越艾卓和凱斯軍之間的無人地帶。

他其實可以在白天完成這件事。為了測試米哈理的魔法是否有用，他嘗試在艾卓營區悄無聲息地穿行。效果確實不錯，但他的內心深處始終對米哈理有所保留。

他在午夜剛過時抵達目的地。凱斯營區外圍半哩處設有崗哨，如果凱斯軍的運作方式與艾卓軍相似，這些哨兵就會是技能師，能在黑暗中視物或聽見細微聲響，並且能開啟第三眼。坦尼爾忘了問隱形法術能不能防第三眼，或是他在行走時會不會發出聲音。

他在最近的崗哨數十碼外停下腳步，倒了一些火藥在手背上，深深吸氣，將火藥吸光。

坦尼爾擦去鼻子上的灰，伏身蹲在一道淺溪床上。在谷中沒有多少像樣的掩護，數量稀少的矮樹叢都被艾卓軍營砍去當柴燒，或清出空地搭帳篷了。也有些士兵砍樹純粹是因為無聊。坦尼爾聞得出來附近挖了糞坑。

他算出兩名最近的哨兵之間約距離五十步，於是他朝中間的缺口走去。途中，他踩斷一根樹枝，引得一名哨兵轉頭。

「口令！」哨兵以凱斯語問。

哨兵等候片刻，搖晃火槍槍管，瞇眼打量黑暗。

「包威爾？」哨兵喝道。「包威爾！」

「啊？」

回應的聲音離坦尼爾不到十呎，驚得他心臟差點跳出喉嚨。

「你有看到人嗎？」

「這是什麼蠢問題？有看到的話我就拉警報了。」

「我好像有聽到聲音，可能有間諜。」

「白痴！如果有間諜，他現在就知道我在這裡了。」

「噢。」第一名哨兵似乎對自己的表現很滿意。「就是說我們把他嚇跑了，是嗎？」

「看在克雷希米爾的份上，你真蠢。給我提高警覺！」

坦尼爾繞過聽見聲音的位置。那個哨兵顯然非常擅長隱匿行蹤，即使他有標記師的視力，也沒辦法在黑暗中看出那道身影。

坦尼爾順利通過幾十個哨兵，沒再發生任何意外，最後來到凱斯營地中央。他不確定米哈理的隱形魔法什麼時候會失效，所以他盡可能壓低身子，匍匐穿越營區。

這裡的營區感覺很荒涼。在艾卓營區，不管夜有多深都有人醒著。男人分享故事，女人洗衣服。大部分夜裡，營火都不會熄滅，隨時都能聽見交談聲。但是在凱斯營區……

營帳整整齊齊排成直線，讓坦尼爾可以一眼看穿一整排。他整整五分鐘沒看見任何人，然後才看到一隊凱斯守衛。他們快步穿越營區中央，目光筆直向前，火槍舉在頭上。他們看起來比較像在受罰，而不是在巡邏營區。

坦尼爾避開巡邏隊，朝營區後方走去。找出目標並不困難。指揮帳有一座城市的市政廳那麼大，由十幾個小帳篷組成。指揮中心的外圍每隔一段距離就有守衛看守，燈火透出帳篷牆面。坦尼爾藉由標記師的聽力分辨出裡頭在爭吵，不過聽不清楚談話內容。

還是有人醒著，這對坦尼爾有利。

他躲到一頂士兵帳篷後面偷看主帳入口。他要的不多，只要熟悉凱斯營區的人就行了，最好是高階軍官。

沒過多久，帳篷內的爭吵聲平息了。五分鐘後，軍官開始走出帳篷。

坦尼爾看著他們離開，記下他們走的方向。

少校，又一個少校，上校——很好。一個將軍，那更好。

他隱蔽地換了個位置，準備遠程跟蹤那名將軍。這時又有其他人引起他的注意。

坦尼爾認得那傢伙，戰地元帥高利特——接替丁恩的人。湯瑪士認為高利特是個有能力的官僚，把損失當作紙上數字，只要能夠贏得一場微不足道的勝利，就算要派一萬人去送死也不會皺一下眉頭。

高利特轉向南面，走到凱斯營地後方，身後跟著一名離開指揮帳崗位的守衛。坦尼爾也跟了上去。

高利特的寢室位於指揮帳數百碼外的一間農舍。戰地元帥進入寢室，守衛則在前門站崗。坦尼爾繞了農舍一圈，發現除了兩扇窗葉緊閉的窗戶和前門之外，沒有其他出入口。

他貼著牆偷偷溜回前門，一手迅速摀住守衛嘴巴，匕首從肋骨之間插入肺部，阻止對方發出聲響，接著拔出匕首，重新插入守衛的心臟，再慢慢把屍體放倒。

「包里，」高利特在屋裡叫道。「進來！」

門在開啟時嘎吱作響。農舍裡一片漆黑，只有另一個房裡透出火光。

「包里，」高利特在那個房間裡說。「他們沒把我要的女孩帶來。可惡的後勤官，什麼都辦不好。立刻去給我把人帶來！現在已經很晚了，我要半個小時內入睡。」

坦尼爾抓起守衛屍體上的腰帶，把人拖近屋內，然後關上門。

「士兵，我說立刻，如果我得——」

高利特拿著提燈走出房間。他禿頭，中等身材，肩膀很寬，目光灼灼。他已經脫下外套，用力搖了搖頭，顯然非常生氣，但在看見守衛屍體時整個人僵在原地。

坦尼爾立刻撲到他身上，一手握著帶血的匕首，一手壓住他的嘴，打斷他的叫聲。

「噓，」坦尼爾說。「安靜，不然我就挖出你的心臟。」他拿匕首在高利特眼前晃。「接下來情況會是這樣——如果你叫人，我就殺了你。如果你想逃，我就殺了你。我比你快、比你強，而我不會遲疑，聽懂了嗎？」

高利特在坦尼爾的手掌下低聲道：「我只會說凱斯語。」

「不要騙我了，我幾年前在曼豪奇的舞會上見過你，你的艾卓語很流利。現在，告訴我，你聽懂了嗎？」

高利特深吸一口氣。「懂。」

坦尼爾從高利特身前退開，但一直用眼角餘光注意著他。他檢查門外，沒有警報聲，也沒有人懷疑門外為什麼沒有守衛。

「你看得見我嗎？」

「什麼？」高利特問。「當然。」

所以米哈理的隱形法術失效了。

高利特慢慢坐回椅子上。「你是誰？」他用艾卓語問。「你是來殺我的嗎？我有錢，我可以讓你發財。」

「我不在乎你的錢。」坦尼爾說。「只要你合作，我就不會殺你。」

高利特。坦尼爾記得他父親提過，這人並非勇敢之人，善於算計，會盡可能遠離戰場，只在人數遠大於敵軍時才會進攻。

「我不會背叛我的國家。」高利特昂起下巴說。

坦尼爾丟下守衛屍體，撲到高利特身上。對方尖聲哀號，努力待在椅子上。「如果你不幫我的忙，我會毫不猶豫殺了你，就像你殺死餐櫃裡的老鼠一樣。」

哀號聲再度響起。

「你不必背叛任何事物。」坦尼爾說。「沒人會質疑你的忠誠，不過你或許得想個理由解釋包里是怎麼死的。」坦尼爾把有點尿騷味的高利特留在椅子上，脫下包里的靴子，然後是褲子和外套。尺寸稍大，但也沒辦法。

「說說克雷希米爾的事。」坦尼爾說。

高利特沉默不語。

「神。」坦尼爾粗聲道。「住在你們營區。他在哪裡？」

「他住在老堡壘裡，往南方距離一哩左右。他本來在巴德威爾，住在市長大宅，但那裡兩天前毀於艾卓魔法。」

坦尼爾輕笑。「艾卓魔法，嗯？參謀總部相信這種鬼話？」

高利特舔了舔嘴唇。

答案很明顯。「所以他在中途堡？」

高利特說：「對。」

「有守衛？」

「牧光衛士。」

克雷辛教會的精英衛士。據坦尼爾所知，教會沒有公開表態對此戰的立場，不過看起來他們打算保護他們的神。「多少人？」

「我不知道。」

「裡面還是外面？」

「都有。」

「克雷希米爾會來營區嗎？」

高利特搖頭。「從沒來過，都是我們去找他。」

「他真的戴著沒右眼的面具嗎？」

「對。」

坦尼爾舔了舔牙齒。有意思。

「你是誰？」高利特在坦尼爾穿上死守衛的褲子時問。

坦尼爾拉緊腰帶。「換條褲子，你身上有尿騷味。去拿外套。」

高利特換衣服時雙手顫抖。坦尼爾看著他換，確保這傢伙沒有爬窗逃走。

坦尼爾看見角落的酒櫃。他走過去，挑了瓶星辰威士忌，倒了半杯。他把杯子遞給高利特。

凱斯戰地元帥急忙兩口喝完，然後彎腰咳嗽。坦尼爾皺眉傾聽農舍外有沒有動靜。沒有。

「就是你，對吧？」高利特問。

「誰？」

「燧發槍後的眼睛，雙槍坦尼爾。」

坦尼爾覺得胸口一涼。所以米哈理聽說的傳聞是真的，克雷希米爾真的在找他。「走吧。」坦尼爾把守衛的槍掛在肩上。「記住——只要騙我或採取任何行動，你就死定了。」

高利特拉了拉外套。威士忌似乎給了他些許勇氣。「你想要我做什麼？」

坦尼爾打開前門。米哈理說過，那個神晚上會咳血。

「你要幫我偷克雷希米爾的床單。」

36

「長官，你確定這樣好嗎？」歐蘭問。「我們離城很近。」

湯瑪士透過望遠鏡觀察阿維玄城。這座城市沒有城牆，沿著從東北方往北方高原蜿蜒而下的淺溪床北岸而建。大部分建築都兩、三層樓高，屋頂以石板瓦搭建，上面的煙囪冒著炊煙。這裡是大北道和查勿山道的主要交會口——守山人的收費道路，讓商品走查勿派爾山進入艾卓。

他估計阿維玄的居民約十萬人，和凱斯南方或戴利芙沿岸城市相比不算大，但也絕不是一個小城市。

「不，不太確定。」湯瑪士回答。

歐蘭趴在湯瑪士身旁，芙蘿拉在他左邊，三人正躲在一條乾涸的灌溉渠道中觀察三哩外的城市，其他火藥法師團成員則在他們後方的廢棄農舍紮營。

在這麼接近城市的地方有廢棄農舍，事情肯定不對勁。

「我沒看見凱斯軍隊的蹤跡。」歐蘭說。

「那裡。」芙蘿拉伸手一比。「你有看見查勿山道從西方轉入城內的地方嗎？那個地方往東一點，藍銀制服，是凱斯冒牌軍。」芙蘿拉處於火藥狀態下就和湯瑪士一樣，他們兩人都看得比歐蘭更遠更清楚。

湯瑪士往那處找到她指出的位置，看到約五十名士兵走過露天市集攤位，指指點點，大吼大叫。他們推翻了幾輛大車，把攤位上的商品裝上車。

「尼克史勞斯在榨乾這座城。」湯瑪士說。「派他的手下出來抽稅。」

湯瑪士用望遠鏡沿著城市外圍查看，然後轉向城市和查勿山道交會處。他瞇起眼睛，仔細觀察夕陽投射出的長長陰影。他隱約能看見人影在移動。那裡有士兵，還有些桶子、推車和馬匹。

「我感應到城內有很多火藥。」芙蘿拉說。

「那裡駐紮了一支軍隊。」

「多到不尋常。」

湯瑪士不知道那意味著什麼。戴利芙人在此地囤積火藥，或許是為了和凱斯或艾卓開戰而做的準備。「有趣。」

芙蘿拉說：「山底下，看起來像他們圍攻守山人據點的總部。」

「我看到了。」湯瑪士說。

「戴利芙的軍隊在哪裡？」歐蘭問。

湯瑪士繼續觀察城裡情形，他也一直在問自己這個問題。「蘇蘭王此刻可能正在集結兵馬。又或許尼克史勞斯攻下阿維玄的速度太快，蘇蘭根本來不及收到消息。」他不願考慮這個可能。

戴利芙的部隊向來是以迅速確實著稱，雖然他們當前的軍隊有點跟不上時代。「看來尼克史勞斯打算在蘇蘭採取行動前翻過查勿派爾山，然後他就可以栽贓給艾卓軍，讓戴利芙人參戰。」

歐蘭說：「他們占領阿維玄，長官。居民肯定知道他們是凱斯人假扮的。」他咬著指甲。自從抽完最後一根菸後，他就開始咬指甲。

「我不知道，」湯瑪士說。「尼克史勞斯不是笨蛋，他會想出辦法。」

「我們應該把部隊調過來嗎？是否要展開攻擊？」歐蘭問。「趁夜布署的話，或許可以做到出其不意。」

「前提是他們不知道我們已經到了。」湯瑪士低聲咒罵。「他們抓了加瑞爾，記得嗎？」

這座城沒有城牆，可以在沒有火砲的情況下輕易攻陷，但凱斯人挖了壕溝，有各式各樣的補給，又熟知地形，這會讓城市戰陷入混戰。

「長官。」芙蘿拉說。「看看城中央的教堂高塔。」

湯瑪士轉動望遠鏡，找到那座教堂。

「在鐘塔上面。」芙蘿拉說。

湯瑪士倒抽了一口氣。老克雷辛教堂的鐘塔上掛了數十具屍體，男人、女人、白皮膚的凱斯人，還有黑皮膚的戴利芙人……以及小孩。他感到一陣噁心，薩邦死前的表情瞬間浮上心頭。

「天殺的尼克史勞斯。」湯瑪士說。

「長官，要回去嗎？」

「回去？」

「回部隊。我們得想辦法襲擊凱斯軍。」

湯瑪士再度觀察鐘塔，然後縱觀全城。他順著建築屋頂看，思考攻擊角度。他得趁著有夜色掩護盡可能推進部隊，然後渡過淺河，在城外迎擊凱斯軍。

那樣做的話，就算是遇上最好的狀況，戴利芙人起身反抗與艾卓聯手，也還是要和凱斯展開長達一週的街頭巷戰。他沒那麼多時間，特別是在還有三萬凱斯步兵從南方趕來的情況下。

「恭喜，歐蘭，你剛剛晉升為上校了。」

「長官？」歐蘭目瞪口呆。

「必須要有人回去指揮第七旅和第九旅，他們不會接受上尉指揮。」

「但長官，越級晉升？」

「我想我們可以跳過『少校』那些階級。」

「謝謝，長官，但我想——」

湯瑪士舉手制止他繼續爭論。

「我有事要辦，歐蘭。首先——」湯瑪士收起望遠鏡。「我要先去找出加瑞爾，救他出來。城裡有個老朋友可能幫得上忙。然後我要殺了尼克史勞斯。之後，我們才能開打。」

妮拉坐在雅各床邊，聽著他輕輕打鼾。男孩胸口緩緩起伏，表情寧靜，這讓她聯想到曾在教堂天花板上見過的小天使。此時，窗外傳來馬車在石板地上移動的聲響。

他們從包在工廠區的公寓搬到艾鐸佩斯特西北邊較高級的高塔里安區一間小屋裡。包說他在城裡各地有好幾間這種「安全屋」。她本來懷疑他怎麼有錢幹這些事，後來想起他是艾卓皇家法師團的成員。

她很容易忘記這個事實。法師團的榮寵法師是以殘暴和力量著稱，他們沒有幽默感，不擅長調情，不常微笑，也不會默默助人。

包明天就要離開了。他說要往南走，去救雙槍坦尼爾。

到時候妮拉又會變成孤身一人，是面前沉睡的這個男孩唯一的守護者。她要如何安置他？要去法特拉斯塔，還是諾維？以單身洗衣工的身分過著寧靜的生活，告訴所有人雅各是她弟弟？

雅各長大後能接受那種生活嗎？畢竟他以前是公爵之子。不到兩個月前，他還非常有機會坐上王位，而她也許會成為他的保姆或養母，甚至在新王的命令下晉升為貴族，擁有有錢的追求者、僕人和實權。

人生本來可以大不相同的。

但是沒有。

如今她得想清楚包離開後他們要何去何從。埋在城外墳場的銀器搞不好早就被人挖走，那她該怎麼辦？她不想多想那種事。

她聽見前門打開又關上的聲音，心頭突然狂跳，然後想起他們處於包的保護下——至少還有一天——而且維塔斯已經不能傷害他們了。

包輕手輕腳走入房內。他知道雅各晚上八點就會上床睡覺，所以示意她去廚房說話。

「他能獨處幾個小時嗎？」包在她關上房門時問。他說話很快，雙目炯炯有神，情緒亢奮。他想要帶她出門。去哪裡？她覺得臉頰發熱。「這個嘛，他是睡著了，但如果醒來時家裡沒人他可能會害怕。」

「他會認字嗎？」

「認得一些。」

「很好，留張字條。我要妳來幫忙，幾個小時後就會回來。」

「我可以叫他起來一起去。」

「妳不會想要他跟的。」包說。

妮拉臉紅了。

「不是那種事。」說完，他咧嘴一笑。

妮拉的臉燙到不行。內心深處的感受，是失望嗎？

她突然懷疑包究竟有多年輕。他很有自信，而且身為皇家法師團成員，年紀絕對不小了，但有時候他看起來才二十出頭。

「來吧。」包說。

她寫了張字條放在廚房桌上，旁邊還有杯水，然後跟著包上了馬車。他拍了拍車頂，要車夫出發。

「我離開後，妳知道要怎麼辦了嗎？」包在馬車穿街走巷時詢問她。

妮拉低下頭。她本來期待他或許能多留一會兒。「我還沒決定。」

「我想妳沒多少錢。」包說。

「我有一點。湯瑪士的士兵跑來艾達明斯宅邸那天晚上，我拿了些銀器埋在城外，我希望它們還在原地。」

「如果不在呢？」

妮拉嚥下口水。「我不知道。」

兩人靜默了一陣，然後他又開口說話：「我走時會留幾百克倫納給你們。」

幾百克倫納足夠她和雅各前往諾維的路費，以及在旅店裡住上一週了。

「謝謝你。」妮拉說，不確定自己還能說些什麼。「那對我們展開新生活會有不少幫助。」

「不少幫助？應該夠你們花一輩子。」

妮拉皺眉看著包。

「幾百張千元大鈔怎麼樣？」

「幾百張千元……」妮拉結巴了，幾十萬克倫納能讓她和雅各舒舒服服過上一輩子。「什麼……你為什麼……」

包揮了揮手，彷彿那點錢對他來說不算什麼。妮拉轉頭望向窗外，部分原因是不想讓包看見她的眼淚。

「還有那棟房子。」包說。「我們現在住的那棟。如果妳決定留在艾卓，房子就是妳的，我過戶給妳了。」

她忍不住看向包。這男人是什麼人？他為什麼要這麼做？他是皇家法師團的榮寵法師，九國中最有權勢的人之一。他這種人不會在乎孤兒或寂寞的洗衣工。

「為什麼？」她問。

包聳了聳肩。過了幾秒，妮拉才意識到自己得不到答案。她擦乾眼角的淚水，深吸一口氣，又緩緩吐出。

「謝謝你。」她說。

包盯著自己的腳看，似乎覺得這個道謝令他尷尬，彷彿自己不配接受她的道謝。他又聳肩。

「我們要去哪裡？」妮拉問。

「我小時候，」包顯然很高興改變話題，他伸手拉開馬車窗簾，看向陰暗的天空。「戰地元帥湯瑪士收留流落街頭的我，他不要坦尼爾和沒受過教育的混混玩，於是他給我地方住，雇用家教來教導我和坦尼爾。」

妮拉記得自己曾在戰地元帥睡覺時偷偷靠近，舉起匕首準備殺死這個為艾卓帶來諸多苦難並殺害國王的男人，後來被歐蘭打斷。「他似乎很好心。」她說。

「我討厭那些可惡的家教，厭惡閱讀和寫字，但湯瑪士說我得練習寫字，所以我就練字，在他睡覺時抄寫他的信件。以前的信、新的信，湯瑪士把所有信都放在保險櫃裡，我輕輕鬆鬆就能開鎖的保險櫃。」

妮拉忍不住驚訝地笑出聲。

包也微笑。「我留下所有抄下來的信以防萬一，我向來擅長未雨綢繆。要在街頭生存大概就得如此。總之，其中一封信裡湯瑪士提到，他把貴族趕出軍隊，對抗貪腐的事，那是他年輕時的信。似乎很多貴族都用政府的錢購買補給品，然後拿去別的地方賣，中飽私囊。」

「這和我有什麼關係？」妮拉問。包過去一週經常提起要找出參謀總部發戰爭財的證據，幫雙槍坦尼爾解決軍法審判的問題。如果可以的話，妮拉願意幫忙，但她擔心把雅各一個人留在家裡會出問題。

「湯瑪士的信裡有特別提到一個名字——艾達明斯公爵。」

妮拉深吸一口氣。

「我們要去艾達明斯宅邸。」包說。「或者說，去那棟廢墟。」

打從士兵跑來押走艾達明斯閣下和夫人那晚後，妮拉就再也沒回去過艾達明斯宅邸了。當晚妮拉差點慘遭強暴，之後就帶著雅各逃入清晨的黑暗中。「我……不曉得要怎麼幫你。」

「好吧，我希望妳幫得上忙。」包說。「自從坦尼爾被軍法審判後，我就再也沒收到來自南方的消息了。最好的情況是他被關在牢裡，最糟則是他死了。我需要證據證明軍法審判他的參謀總部貪贓枉法，不然我就得跑去殺一大堆人救他出來。」包皺眉看著沒戴手套的手掌。「我不想那麼做，太不方便了。」

一小時後他們抵達目的地時，太陽已經落下，街道變得昏暗，莊園宅邸如舊時代的幽靈般在陰影中掠過。不到六個月前，這條街還燈火通明，是數十個貴族家庭和數百名僕役的家園。如今窗口漆黑，庭院死寂。看見艾達明斯宅邸時，妮拉感到毛骨悚然。即使在黑暗中，她也看得出來大火燒掉了部分屋頂，其中一根煙囪塌了。

「妳還好嗎？」包問。她感覺他的手碰觸她的肩膀。他戴上了榮寵法師手套。

妮拉清了清喉嚨。「還好。」

他給她一盞提燈，自己也提一盞，彈指點燃。

「謝謝你。」妮拉道謝。燈火照亮車道，進入庭院，深入陰影。基於某種原因，火光提供了一點慰藉。「往這邊走。」

她領著他走過前車道進入正門。大廳殘破不堪，畫作和雕像不是沒了就是慘遭破壞，吊燈被割斷，貴重的寶石都被拔光。有人拿了可能是糞便的東西，在牆上寫下難以辨識的字，讓整間屋子聞起來像農場。

「我們要找什麼？」她問。

「保險櫃。」包說。「艾達明斯收藏書信文件的地方。」

妮拉高舉提燈，走向樓梯。「肯定早就沒了。所有值錢的東西都被洗劫一空。」

「我得試試。」

房子其他部分看起來都和大廳很像，家具慘遭破壞或不翼而飛，貴重物品全數消失，牆上滿是塗鴉。妮拉不禁感到悲哀。這間屋子曾是歡樂的地方，充滿活力和財富。雅各曾在這些走道上奔跑，拿木製火槍追逐僕人。她很慶幸包沒帶男孩過來。

公爵辦公室位於二樓東南角。她一進入辦公室，立刻知道他們找不到任何東西了。房間裡到處都是焦痕，一部分地板和外牆不見了，看來有人嘗試拿火藥炸開保險櫃，用量多到直接將公爵的辦公桌炸成碎片。

她指著距離保險櫃原先位置十幾步外的一坨金屬塊。

「在那裡。」她說。「公爵的保險櫃。」

包彎腰檢查保險櫃。裡面的東西肯定都毀於爆炸，或事後被偷走。他踢了那塊金屬一下，罵了句髒話，抱著腳趾單腳在屋子裡跳著繞圈圈。「見鬼、見鬼、見鬼！」包摔向地板上的大洞，妮拉抓住他背後的外套，在他摔下去前拉他回來。

他惱怒地嘆氣。「忙了十天，這已經是最好的線索。」他癱在地上，盤腿而坐。「妳確定沒有別的東西了?」

「我只是洗衣工。」妮拉說。「我只進過這間辦公室幾次，而我隨時都在盡量避免艾達明斯公爵拉我上床。」

包一拳捶在地上。「可惡!」

「你不能就直接南下，然後……」她用雙手比個手勢。

「然後怎樣?用魔法把坦尼爾帶出被囚禁的地方?事情沒那麼簡單。」

妮拉在包旁邊坐下。

「如果我沒證據證明參謀總部犯罪，我就得訴諸魔法。」包說。「好吧，我會先從賄賂開始。賄賂或許有用，但非常不可靠。收錢的人可能會幫你，也可能會告發你。如果賄賂沒用，我就得殺人。我其實不太喜歡殺人，不管別人是怎麼看皇家法師團的。而我一點也不想殺艾卓士兵，坦尼爾永遠不會原諒我。」

包盯著地板，看起來憤怒又哀傷。

「等等!」妮拉站起身來。

「什麼?」

「我有一次進來，看到艾達明斯閣下跪在火爐旁。」

「大部分人都會。」包語氣有些不耐煩。

「不，艾達明斯向來都是坐在火爐旁邊，他有一張大椅子。」妮拉繞過地上的大洞，走向火爐。「就是這裡。而且他絕不會自己添木柴，每次都是叫僕人來處理。所以我看到他跪在這裡時覺得很奇怪。」

包也站了起來。「妳覺得是有鎖的箱子嗎？藏在地板下？」

「或許是。」妮拉說。肯定是。包只剩下這個希望了。妮拉突然發現自己很希望他能得到想要的答案。她跪在火爐旁邊，努力用手指戳進地板縫隙裡，尋找隱藏開關或能抓的地方，但什麼都沒有。

「讓開。」包說。

他拉了拉他的榮寵法師手套，舉起雙手。妮拉連忙讓開。石板突然碎裂飛向一旁，每塊都大到妮拉搬不動。包笑著看地板。石板底下沒有受到魔爆的影響，那裡擺著一個小箱子。妮拉抓起箱側的皮帶，提出箱子。

包彈指之間把鎖打爛，箱蓋自動彈開。裡面有幾本皮革書，每一本都和口袋帳本差不多大。妮拉發現那些書說不定真的就是口袋帳本。

包打開一本翻閱，臉上的笑容逐漸擴大。「沒錯，」他說。「這就是我要找的東西。」

他把書丟回箱子裡，然後閉上雙眼，手平放在箱蓋上，看起來很像在祈禱。

妮拉突然想到一件事。「包。」

「什麼事？」他沒睜開眼。

「他們發現你的身分不會逮捕你嗎？」

「很可能會。」

「如果你用魔法營救坦尼爾，他們不會殺你嗎？」

包睜開雙眼。「非常有可能。等我一下。」他離開房間，動作快到像是剛剛想起廚房沒關火一樣。

妮拉聽見他的腳步聲經過走廊，然後下樓。她聽見他的靴子踏在碎石道上的聲響。

她現在一個人待在她從前生活的大宅裡。她舉起提燈，慢慢在公爵辦公室裡繞著走。幾分鐘後，妮拉開始懷疑包去哪裡了，他丟下她不管嗎？

不，她發現帳本箱還在地上，旁邊還有一雙包的榮寵法師手套。

她在箱子旁坐下，掀開箱蓋，拿起一本冊子開始慢慢翻閱。她在字裡行間認出公爵的字跡。一開始看起來像是日記，之後都是欄位和數字，三不五時會出現畫線的人名。這些內容對她一點意義都沒有。

她把冊子放回去。下一本看起來也差不多，第三本也是。包必須詳讀這些帳本才能找出他需要的東西，但光找到帳本似乎就令他興奮萬分。她拿起他的手套，不懂他為什麼要留下手套。

妮拉傾聽走廊和車道上有沒有腳步聲。沒有。

她就著燭光打量手套。這雙手套是她補過的，她認得符文旁的咖啡漬。她在衝動下戴上一隻手套。

她以為自己會被電到或受傷。傳說榮寵法師會在所有屬於他們的東西上施法，不讓其他人使用。但戴上手套時完全沒事。她把另一隻手套也戴上。

手套比她的手大很多。包為什麼這麼想要她戴手套？印象中，榮寵法師探測員到孤兒院時從未要求她戴手套。

妮拉手掌前伸，然後轉向側面，閉上雙眼。

她彈手指。

又一次，毫無反應。

「我真的以為會有用。」

妮拉幾乎要跳起來，連忙脫下手套扔在地上。

包站在門口看著她。

「什麼？」妮拉說著，站起身。「你以為會有什麼用？」

包大步走進房。他怎麼能無聲無息就回到屋裡？「妳在艾爾斯裡沒有發光。」包說。「但以前沒被發掘出潛力的人很少這樣。我覺得妳有點特別。或許是技能師，或許能使用魔法。我等妳戴上榮寵法師手套等了將近兩週。」

妮拉撫平衣襟，抬頭挺胸。奸詐！「好了，我不是榮寵法師。」她說。「別再想了。」

包迅速走向她。妮拉後退半步，在他的手掌掠過她臉頰時感到一陣刺痛。

她大發雷霆。他甩她巴掌！她又沒惹他！她舉起拳頭。

「等等！」包說。

妮拉不確定自己為什麼要停下。

「看。」

妮拉看著自己那隻舉起來準備把包打成肉醬的拳頭。拳頭籠罩在一道藍燄下，她的臉能感受到那股高溫，但是手上沒有感覺。她大叫一聲往後跳，將火焰甩熄滅。

出了什麼事？她怎麼辦到的？

「抱歉甩了妳一巴掌。」包說，他的眼神既開心又小心翼翼。「我得激發妳的情緒反應。」

「你大可以親我。」妮拉大聲道。

「喔？那我下次知道了。」包輕揉下巴。「看起來，這位年輕的女士，妳是個榮寵法師。妳可以接觸艾爾斯，更有甚者——而這點十分有趣——妳不戴手套就能辦到。」

37

湯瑪士和芙蘿拉趁著夜色掩護潛入阿維玄。

要渡河很容易，雖然源自高山的河水濕滑又湍急，冰冷得像諾維結霜的腳趾，但是水深不過大腿。

他們經過磨坊，進入住宅區，湯瑪士發現他從未在深夜見過如此安靜的街道。如果閉上眼睛，他或許會想像自己身處高原，只是偶爾會聽到巡邏隊腳踏鵝卵石的聲響和狗吠聲。街上除了巡邏隊空無一人，他甚至沒聽見有人往窗外倒夜壺的聲音。

尼克史勞斯宣布全城戒嚴，從城鎮鐘塔上吊死的屍體來看，他對違規者的懲處相當嚴厲。

湯瑪士留意著芙蘿拉剛剛察覺的火藥。城內似乎真的到處都有火藥，而且不光只是在彈藥庫，數量足以供應二十個旅。這很奇怪，因為城裡沒有戴利芙士兵，而凱斯部隊根本無法攜帶這麼多火藥。

經過市場區時，附近突然傳出叫聲。湯瑪士停步傾聽，片刻後，空氣中響起火槍的轟鳴。

湯瑪士指示芙蘿拉跟上，隨即朝槍聲的方向趕去。這裡距離事發處不超過兩、三條街。他爬上附近的市集建築，悄悄走向邊緣。

下方的街道宛如戰場。

到處都是屍體，在黑暗中只是一團團黑影，躺在自己的血泊中。

經驗老到的湯瑪士一眼就看出陷阱是戴利芙人布置的，等著埋伏凱斯巡邏隊。第一輪火槍發揮效果，擊斃半數巡邏隊，但剩下的凱斯兵開始反擊，拿上了刺刀的火槍對付戴利芙游擊隊。

湯瑪士拔出手槍。

「這不是我們該打的仗。」芙蘿拉急忙在他耳邊低語。

他遲疑片刻，這片刻時間已足夠讓凱斯巡邏隊把游擊隊收拾乾淨。剩下的戴利芙人逃入黑夜中，巡邏隊則重新集結，照料他們的死傷士兵，抓捕受傷的游擊隊員。

湯瑪士爬下屋頂回到街上。他在走出夠遠的距離後說：「是有組織的反抗行動，他們想要奪回城市。」

芙蘿拉用鼻子嗅風，豎起耳朵。她緩緩點頭，觀察黑夜。和他一樣，她也處於火藥狀態中傾聽、嗅聞，試圖弄清楚城內的情況。

「但是組織得如何？」她問。「我們打算一天之內解放本城，不是幫助一小群游擊隊。」

她說的當然沒錯。湯瑪士得把目光放遠，他今晚有個目標必須達成。

他們離開市集區，然後是建築擁擠的近郊住宅區，最後來到城內比較高級的地方。一路上他們又經過兩場戴利芙和假艾卓軍的衝突。這裡的房屋相隔較遠，大部分都有花園和圍牆，街道寬敞到能讓六輛馬車並行。湯瑪士終於知道自己身在何處了。

海隆娜的家就在這些豪宅之中。

湯瑪士突然聽見有人叫喊，接著是另一人的聲音，然後火槍迸發。騷動逐漸接近，從他們後方的街道傳來。湯瑪士四下尋找藏身處，但只看見空曠寬敞的街道和圍牆。

「快點。」湯瑪士催促道。他單膝跪地，雙掌交疊，往身後的圍牆側頭。芙蘿拉俐落地踏上他的掌心，讓他撐著翻過圍牆。她回頭往下伸手接應，但圍牆高得即使他跳起來也搆不著。湯瑪士回頭看向街道。

一小群戴利芙人轉過街角。共有八個人——不，是九個。大部分都神色慌張，在看不見的敵人前逃命。他們用大衣和寬邊帽遮住五官，其中一人轉身朝街角後方開槍，在敵軍反擊時及時往後跳開。

湯瑪士趴在地上，縮起雙腳，用外套和帽子遮臉。此刻唯一能躲的地方就是大街上。運氣好的話，他們會以為他是酒鬼或流浪漢。

他透過帽沿看著戴利芙人在對街逃命，不斷回頭查看。

片刻後，令他們恐懼的追兵出現了。一個男人奔出街角，舉起火槍瞄準，然後開槍。他身穿艾卓藍制服——但不是艾卓人，身後又陸陸續續跑出很多和他一樣打扮的人。他們衝過街道，藉由街旁行道樹掩護，偶爾對著撤退中的戴利芙人開火。

一個戴利芙人絆跤摔倒。他揮手要其他人先走，並在眾人停下來幫忙時大聲咒罵。

湯瑪士感覺自己的手指握住短劍劍柄。他心跳開始加劇，他能坐視這場屠殺不管嗎？

戴利芙人以一敵二，大部分都已經受傷，不管他們要撤退到哪去，他們都趕不到目的地了。

一名凱斯士兵衝向路旁裝飾用的橡樹。他距離湯瑪士不到十呎，似乎沒注意到附近有人。那人停下來裝填火槍，清理槍管，灌注火藥。湯瑪士覺得自己的指節握緊到要磨破皮了。他憑著火藥聽覺，聽見芙蘿拉在牆上低語：「這不是我們該打的仗。」

下一秒，湯瑪士的劍從側面刺入士兵喉嚨，正好在食道和脊椎之間，對方一聲不吭地癱倒在地。湯瑪士雙腳急奔，幾乎感覺不到右腳疼痛，連跨十幾步穿越街道。

一名士兵轉向他，湯瑪士毫不猶豫地用劍刺穿對方的臉，順勢再給下一名士兵的肋骨一劍。

這下他們都發現他了。街上傳來驚慌失措的叫喊。

世界彷彿以蝸牛般的速度在運轉。湯瑪士感受到火花擊中了手槍中的火藥盤，正朝著槍管前進。他在武器擊發前的瞬間釋放感知，吸收了爆炸的能量，強化他出劍的力道，砍下一個男人的腦袋。

另一名士兵——是女人——剛拔劍出鞘，眼睛就中彈倒地。湯瑪士沒時間去管是不是芙蘿拉在一旁幫忙，轉身衝向下一個目標。一個佩戴上尉銀領的男人手持短劍朝湯瑪士奔來。

湯瑪士撲了上去，兩步跨入對方的防禦範圍內，將其開膛剖肚，接著轉身尋找下一個凱斯士兵，結果……

沒人了。街上空無一人，就只有傷兵和垂死之人的呻吟聲，還有他自己的喘息聲。湯瑪士感覺心臟猛跳，他捏碎火藥條撒在舌頭上，心跳才逐漸平緩下來。

戴利芙人還在街尾撤退，其中一人轉向湯瑪士，舉起手槍開火。湯瑪士在子彈於腳邊反彈時感覺心臟漏拍一下。戴利芙人的怒罵聲自五十步外清楚傳來。對方丟下手槍，抓住另一名同伴的肩膀，指著湯瑪士。

那群人停止撤退，全都看著站在凱斯人屍體之間的湯瑪士。

湯瑪士打量那群人。他們在黑暗中能看得多清楚？

無論如何，他都沒時間了。他還有任務要執行。海莉家就在這條街上。不幸的是，戴利芙人正好擋在他和海隆娜家中間。

他看向對街，牆頂隱約可見芙蘿拉的腦袋。他重新評估高度。

他的腳在離地兩呎處蹬上牆面，靴底勉強抓住了一點摩擦力，讓他往上躍。他用盡全力一推抓住牆頂，感受到芙蘿拉握住自己的手臂，借力翻過牆，重重摔在下方的花園裡。

湯瑪士仰躺在地上，希望落地時沒有摔斷肋骨。他深吸一口氣。有感覺，但不算很痛。

「你還好嗎？」芙蘿拉伏在他身側詢問。

「老到不適合這樣作戰了。」他爬起身，順著劍柄摸索。「但感覺很好，非常好。我需要這樣作戰。」他停頓，發現芙蘿拉看他的眼神很怪。「幹嘛？」

「我現在知道坦尼爾遺傳自誰了。」說完，她又補充。「動作快到能和他媲美的，我只見過你一個，其他火藥法師都辦不到。我們全都比普通人強壯敏捷，但你和坦尼爾……見鬼了。」

湯瑪士心跳劇烈，太劇烈了。他不是逐漸變老，他是已經老了。

他們穿越花園，經過一百碼後再度翻牆。剛剛那群戴利芙人還在湯瑪士後方的街道上查看死者，解決受傷的凱斯兵。湯瑪士和芙蘿拉在無人察覺的情況下沿街往下走。

他們繼續在同一條街上前行，轉過兩個轉角，抵達海隆娜的宅邸。

那是一座壯觀的建築，有條短碎石車道、修剪整齊的草坪、砌磚外牆，以及等距大窗。屋頂很高，角度陡峭，起碼有一打以上的煙囪。

大宅窗戶一片漆黑，車道路燈也沒點亮。湯瑪士跑過草坪，繞到屋子後方。他經過很可能還有人沒睡的僕役區，找到天文觀測室。

天文觀測室是海隆娜二十年前去世的丈夫的。上次湯瑪士來的時候，這裡已經改成海隆娜的書房了。他停在玻璃門外，突然想起一件事。

他根本不知道她是不是還住在這裡。

湯瑪士努力回想薩邦有沒有提過海隆娜賣房子的事。應該沒有，他向來不太提他妹妹的事。

這樣比較好。

湯瑪士用肩膀頂開玻璃門，在門嘎吱作響時皺起眉頭。他停下動作，傾聽有無腳步聲，或僕人拉警報的聲音。

什麼都沒有。

他走進屋內，芙蘿拉緊跟在後。

這裡和他上次來時不太一樣。沒有天文望遠鏡，書桌也換了，本來放望遠鏡的位置如今是一座收藏星球儀的層架。

湯瑪士覺得心裡有點慌。萬一她不在這裡呢？整座城裡他就只認識她，他要怎麼靠自己找出加瑞爾？

「這裡可能不是她家。」湯瑪士低聲道。

芙蘿拉碰了碰他手臂。「那是她嗎？」

壁爐架上有幅畫像，畫裡有個他不認識的戴利芙男子。男子身穿軍裝，剃光頭，海隆娜站在他身後。

湯瑪士鬆了一口氣，看來他沒找錯。

「我得叫醒她。」湯瑪士說。他並不期待這麼做。他私闖民宅，在這種時間溜進她寢室，可不是和久未聯絡的朋友重新取得聯繫的好方法。

如果她再婚那就更麻煩了。

芙蘿拉輕喚湯瑪士。她正站在窗邊，手指搭在窗簾上。

他走到她身邊。外面有人直奔觀測室門廊而來。湯瑪士眨了眨眼，是剛剛那些他從凱斯士兵手中救下來的人。她丈夫也是其中之一嗎？

「躲起來！」

湯瑪士奔向最近的一扇門，溜進去關上門，只留下一小條縫。他檢查周遭環境，發現這間儲藏室很大。芙蘿拉幾乎沒動，藏身在厚窗簾後面。湯瑪士輕聲咒罵。他們兩個都沒辦法在不驚動房裡人的情況下離開。

湯瑪士透過門縫觀察房內。他聽見外面有人低聲交談，但聽不清楚談話內容。玻璃門打開，那群人依序進入房間。

幾乎所有人都受傷了，還有兩個人是被抬回來的。湯瑪士聞到火藥和血腥味，但那也有可能是他自己身上的味道。

「點燈。」一個女人說。「魯伯，帶他們去客廳。拿些毛巾，生火，還要熱水。」

湯瑪士認出那個聲音。即使過了十五年，他還是認得，而他對此感到驚訝。

海隆娜。

門打開又關上，雜亂的腳步聲進入其他房間。傷者在被抬走時發出呻吟和咒罵。

有人在黑暗中翻找東西，接著，一個男人開口說話。「他們會來找我們。」

「我知道。」海隆娜語氣悲傷地說。

油燈點燃，在房裡投射燈火和陰影。湯瑪士眨了眨眼適應火光。透過門縫，他看見一個留馬尾的戴利芙人。那個人突然一揮桌面，把文件、紙鎮和一小袋錢全掃到地上。

「一定有人出賣我們！」他說。「我要把他們找出來，親手殺了他們。」

「冷靜，戴瑪索林。」海隆娜說。

「我不要！一切都完了，他們等著我們。妳和我一樣看得清楚，那些天殺的艾卓人！英迪兒一進屋立刻眼睛中彈！十幾個火槍手全都躲在黑影裡。有人背叛我們。」

「他們不是天殺的艾卓人。」雖是這麼說，但海隆娜語氣聽起來也不太肯定。「你聽見他們說凱斯話了。」

「欺敵招數！兩個旅的士兵身穿艾卓藍軍服！你以為我們沒聽說兩個軍旅從巴德威爾跑來這裡了嗎？我們的間諜沒那麼爛。」

「那我們在艾卓的間諜呢？」

「我們在艾卓沒多少間諜！他們理應是盟友。」

「湯瑪士絕不會——」

戴瑪索林猛地轉向海隆娜。「妳不准幫他說話！那個可惡的屠夫什麼事都幹得出來，妳心裡很清楚。」

「那薩邦呢？」海隆娜語氣冷酷。「你以為薩邦會讓他進攻戴利芙嗎？」

湯瑪士感覺胸口一緊。喔，該死的，她還不知道薩邦死了。他有送信來，但她肯定沒收到。他閉上雙眼，努力克制呼吸。

「妳父母和他斷絕關係不是沒理由的。」

湯瑪士聽見清脆的巴掌聲。戴瑪索林轉進視線範圍內，手摀著臉頰。海隆娜緊跟而來。

湯瑪士終於看見她了。

她保養得不太好，滿臉皺紋，頭髮花白，因流淚而通紅的眼角有很明顯的魚尾紋。她嘴唇緊閉，抬起手又要再打。

「你再說我哥哥的壞話試試。」她輕聲說道，語帶挑釁。

戴瑪索林抬頭挺胸。「妳膽敢毆打國王的公爵？」

公爵。難怪他認為湯瑪士是屠夫。全九國的貴族都恨湯瑪士，就連他的盟國也一樣。湯瑪士要的就是這個。

海隆娜正要開口，戴瑪索林舉起一隻手。他聞了聞空氣，突然開始掃視房間。

「房裡有人。」他低聲道。

湯瑪士看見芙蘿拉藏身的窗簾微微晃動。他手握劍柄，無聲吸氣，另一手貼上儲藏室的門，隨時準備推開。

戴瑪索林拔出劍，開始繞著房間一邊嗅聞一邊查看。湯瑪士放鬆下來，開啟第三眼，看到戴瑪索林在艾爾斯裡微微發光。

他是個技能師。

戴瑪索林經過芙蘿拉的藏身處時，突然轉身大叫，一劍刺出。

湯瑪士差點發出驚呼。

然而，什麼都沒有。戴瑪索林拉開窗簾。

「打開的窗戶，」海隆娜說。「你是認真的？」

「那裡！」戴瑪索林說，瞪著黑夜。「有人跑走了！」他舉著劍衝入黑夜。

房內只剩下海隆娜。他看到她匆匆跑到門口，目送戴瑪索林走遠。過了一會兒，她又走回來，垂頭喪氣地坐在沙發上。

湯瑪士感到強烈的恐懼。他耳中迴盪著心跳聲，停頓片刻，鼓起勇氣。衝向一整旅的凱斯部隊都比這件事輕鬆。

他放下劍，推開儲藏室的門。

「哈囉，海莉。」他說。

阿達瑪抵達高貴勞工戰士工會總部時，理卡不在。事實上，除了搬運工和酒保，這裡沒有其他人。酒保從冰桶裡幫阿達瑪倒了杯葛拉啤酒，請他在門廳等候。

但阿達瑪決定要去理卡的辦公室裡等。

他等了將近三個小時，隨著陽光逐漸黯淡，黑暗降臨艾德海，他開始越來越緊張。聽見門廳的門開啟時，他立刻站起身來。

阿達瑪走向辦公室的門，用腳趾踢開一點，從門縫看出去。他看見理卡大步走過門廳，怒氣沖沖地把外套丟在地上。工會領袖稀疏的頭髮根根豎起，白襯衫都被汗水浸濕。「拿酒來！」他吼道。飛兒跟在他身後，另外還有六名助理。

沒有克雷蒙提的手下。阿達瑪走出辦公室，覺得自己那樣懷疑有點懦弱。

理卡大步走過他，進入辦公室，坐在書桌後的椅子上。

「我們被耍了，阿達瑪。」他說。

阿達瑪沒問他為什麼讓自己枯等三小時，而是問：「為什麼？」

「布魯丹尼亞—葛拉貿易公司入侵我們國家。」

「你查出什麼了？」阿達瑪問。

搬運工幫理卡拿了瓶深色威士忌和一個酒杯。理卡把酒杯扔到壁爐裡，摔成無數碎片，然後一把抓起酒瓶，拔掉瓶塞，直接灌掉四分之一瓶。

阿達瑪搶走酒瓶。「你喝個爛醉對誰都沒好處。」

「你不懂。」理卡說。「克雷蒙提要來了，而且他把整家公司都帶來。」阿達瑪在理卡眼中看出他不光只是憤怒或激動，他還十分害怕。阿達瑪從未見過他的老朋友這副模樣，目光透露強烈的恐懼。

「是布魯丹尼亞展開侵略嗎？」阿達瑪問。

「我哪知道。目前還沒人開槍。我跑上船鬧提問時，完全沒人阻攔我。克雷蒙提只是賄賂了運河所有工會會員，讓他能運送他的艦隊過來，就這麼簡單而已。他們明天就會抵達。」

「明天？」阿達瑪臉色發白。「他們怎麼可能這麼快？」

理卡指向窗外，雖然窗口並不是朝向運河。「我們建造運河就是為了快速運送山裡的貨物。它能載運克雷蒙提的商船，而且我們已經挖深了整條河道。工會過去五年都在翻新艾德河上的橋梁，好讓我們辦到克雷蒙提正在幹的事。沒有任何東西能阻止他。」

「肯定有什麼能阻止他。」

「我回來後每一分鐘都在思索因應之道。我浪費了一小時和鐵匠研究能不能盡快趕工做出足以阻止他的巨型鎖鏈，但是辦不到。」

理卡看起來像是抓不到救命繩索的溺水者。他滿臉通紅，阿達瑪留意到他有一邊小腿褲管上有道裂痕。

「你在流血。」阿達瑪說。

理卡看了看自己的小腿，輕嘆一聲。他沒去處理傷口。

飛兒進房。她頭髮後梳，制服整齊，連一根凌亂的眼睫毛都沒有。

「他在流血。」阿達瑪告訴她。

她跪在理卡身邊，扯開褲管開始包紮。

「有消息嗎？」理卡問她。

「我們還在努力。」

「我們得組織防禦行動。」阿達瑪說。

理卡打嗝，伸手去拿威士忌酒瓶。「沒時間了。」

「城裡有警察和一些士兵。」阿達瑪說，一邊把酒瓶拿到理卡搆不到的地方。「還可以徵調人民。你有報社，善用資源。」

「民兵團。」理卡坐了起來，耳朵豎得像狗一樣。

「沒錯。」阿達瑪覺得心跳加速。「這座城市絕非無法防禦。我們有百萬人口，可以利用報紙。你記得湯瑪士斬首曼豪奇時選舉廣場的景象，我們擁有人民的意志，還有充足的人力，大家會挺身捍衛家園。」

理卡跳起來，撞倒飛兒。「飛兒，」他拉起她說道。「去寫封信，通知報社我要明天早上的頭條新聞，告訴他們太陽升起時，艾鐸佩斯特每戶人家都要收到報紙。我要印刷廠連夜趕工。召集工會領袖，所有人都要幫忙。我們會成功，我們會守住這座城市！」

阿達瑪臉上浮現笑意，這才是他認識的理卡。

理卡握住他的手。「阿達瑪，謝謝你，我就知道你可以的。不管我付你多少，加倍！」

「你沒付我……」阿達瑪還沒說完，理卡已經衝出辦公室。阿達瑪目瞪口呆地在原地站了一會兒。理卡對他的手下和助理大吼大叫，宛如前線指揮官般下達命令。他已經進入狀態，在組織完全城防禦前不會停下來。

辦公室裡突然變得冷清。阿達瑪四處找尋酒杯，想給自己也倒杯酒，但找不到，於是他就著瓶口喝酒。

「先生。」飛兒打破沉默。

「嗯？」

她雙手放在身後，昂首道：「我一直沒道歉，先生。我想趁現在向你道歉。」

「道什麼歉？」阿達瑪怒意來襲。他曉得她為何道歉，因為她差點害死他的妻子，沒有依照她所承諾的看好維塔斯。

「維塔斯閣下。」她說。「我敗在維塔斯手下。我該帶更多人去的。」

阿達瑪壓下怒意，強迫自己冷靜。喝酒可以幫他。「那是他的專長。我也曾多次敗在他的手下。」說出這些話的同時，他覺得內心深處有東西在蠢蠢欲動。他皺眉。

「先生？」飛兒在他沉默好一陣子後問。

他抬手要她安靜。他要思考。他敗在維塔斯手下很多次，種種跡象都顯示對方是個天才謀略家，沒有絲毫仁慈與悔恨，犧牲手下絕不遲疑。

「他死了嗎？」阿達瑪問。

「維塔斯？死了。兩週前死的。包處理掉他的屍體。」

「包在哪裡？」

「他失蹤了。」飛兒說。「理卡有提供工作機會，但他不接受。」

阿達瑪撫平外套。他向包提過他對維塔斯抱持著保留態度。或許維塔斯沒有全盤托出，或在誤導他們，他甚至……

「可惡！」阿達瑪說。「維塔斯他全都知道！我們再度敗在他的手下，就連包也沒逼他供出此事。」

「你怎麼知道？」飛兒問。

「碼頭。」阿達瑪搖頭。她不可能知道他在講什麼。「我問維塔斯要怎麼找回我兒子，他叫我去找買走喬瑟的奴隸販子。他告訴我要找誰，說什麼密語，但他給的密語是錯的！奴隸販子攻擊我，我差點沒能活著逃出來，而我一心只想救回喬瑟，直到現在才發覺有詐。」

克雷蒙提的艦隊翻越查勿派爾山已經夠明顯了。阿達瑪靠在牆上。如今他什麼都做不了，維塔斯死了，他沒得報仇，也不能找人對質。阿達瑪本來以為他們能在克雷蒙提面前取得的一點優勢也沒了。

「妳從維塔斯口中問出了什麼情報？」

飛兒皺眉。「是報告，他主人的計畫。」

「什麼計畫？」

「第一行政官的競選計畫，還有他改革首都的政見。」

「都是垃圾。」阿達瑪說。

「但其中有很多有用的情報。我們找到其他藏身處，找出更多他的手下。」

「他要我們以為我們掌握優勢，但我們其實並沒有。維塔斯告訴我們的事都不可信。」

阿達瑪從門旁的木樁上取下帽子，然後拿起手杖。他覺得非常疲憊。

「你要做什麼？」飛兒問。

他們唯一的希望就是理卡有能力動員全城，不然明天晚上艾鐸佩斯特就會落入克雷蒙提的掌握之中。

「回家，去找我的妻子。我明天早上和妳在北門碰面。」

38

中途堡是一座虛榮浮誇的歷史古蹟。建造它的目的不是為了舒適，甚至不是為了防禦，而是為了顯得氣勢恢宏。城牆雖高卻易於攀爬，多個入口處布滿了防禦工事。這座堡壘俯瞰艾頓河，威嚴地矗立在主幹道旁。

對於農民而言，中途堡或許壯麗非凡，但對任何有點軍事概念的人來說，這裡是個笑話。中途堡是三百多年前由一名自詡為建築師的年輕國王所建。在坦尼爾眼中，這裡非常適合發瘋的神居住。

坦尼爾藏身在凱斯部隊中央一棵大橡樹的樹蔭下，靜靜地觀察堡壘。他能聽到附近一名步兵的鼾聲，除此之外，夜晚一片寂靜。

他再度傾聽，發現還能聽見凱斯戰地元帥高利特恐懼發抖的呼吸聲。這個凱斯軍官蹲在他旁邊，身上還隱約散發出尿騷味，正不安地撥弄外套領子。坦尼爾眼角餘光瞟向他。在這裡只要出點差錯，發出令人起疑的聲響，他就死定了。

當然，要死他也一定會帶上高利特一起。

「僕役入口在哪裡？」坦尼爾低聲道。

「我不知道。」

坦尼爾拔出匕首。

「我……嗯，我想在那裡，在右邊。」

坦尼爾收回匕首。「有守衛嗎？」

高利特吞嚥口水，看著坦尼爾，彷彿不敢說他不知道。

坦尼爾眼角瞥見燈火。他壓低身子，盯著堡壘好一會，看見那裡有扇高拱窗內燈火閃爍。

高利特也看見了。他匆忙後退，靠上身後的大橡樹。坦尼爾抓起高利特的外套，阻止他繼續移動。

「克雷希米爾的房間在哪？」坦尼爾問。

「那裡。」高利特聲音乾啞，用手一指。「那座塔，燈火上方。」

突如其來的哀鳴劃破夜空。一開始是低聲慟哭，接著突然號啕大哭，伴隨哭聲而來的是一下撞擊聲，接著是越來越響亮的慘叫聲，慘烈到坦尼爾以為會有女妖哭喊著從樹上衝下來。慘叫聲很快就結束了，接下來遠處傳來砸家具的聲音。

「怎麼回事？」

「是克雷希米爾。」高利特的聲音幾乎細不可聞。「每天晚上，」他轉頭看坦尼爾。「他每天晚上都在找燧發槍後的那雙眼睛。」

坦尼爾不禁打了個寒顫。

「他們每天早上都會發現屍體。」高利特說。「通常只有幾具，但有時候多達十幾具，有牧光衛士、僕役、克雷希米爾的侍妾。有些是被掐死的，有些被魔法燒死的。」

「閉嘴。」坦尼爾覺得毛骨悚然。他把火槍靠在樹上，看著堡壘裡的燈火逐漸遠離克雷希米爾那座塔。

「你殺不了他。」高利特說。

「什麼？」坦尼爾問。

「克雷希米爾床單的事。你以為我是笨蛋嗎？你打算結束你在南矛山起頭的事，是不是？」

坦尼爾默不吭聲。

高利特語帶恐懼地繼續說：「他是殺不死的。目前為止約有二十人試過，包括來自你們部隊的殺手，還有教會，甚至有伊派爾的人——不過克雷希米爾不知道。」

教會也派人暗殺克雷希米爾？而他們還派牧光衛士保護他？好了，這下可有趣了，克雷辛教會內部肯定有分派系。

「我想大家都靠近不了他。」坦尼爾說。

「喔，可以的。」高利特吞嚥口水。「我親眼見過一名殺手，那女人想劃開他喉嚨，但匕首碰到他的皮膚就被折彎了。」

坦尼爾記得開槍射擊處於洞穴獅形態的祖蘭，子彈彷彿圓石掠過水面般自她皮膚上彈開。而如今，坦尼爾正試著從能把祖蘭釘上木樁的神那裡偷東西。

「力量不夠強。」

「他在前線時曾被砲彈擊中，砲彈在他身上粉碎，炸死了附近一個砲組和一名上校。」高利特越講越大聲。他的聲音很尖銳，呼吸粗重，全身都在顫抖。坦尼爾扯了扯他的外套，不過似乎沒有用。

接著，坦尼爾發現一個問題。他得爬上堡壘圍牆。這對他來說不是個問題，但高利特絕對爬不過去。

最簡單的做法就是殺了他。他畢竟是敵人，是凱斯人，是敵方的戰地元帥。

坦尼爾手握匕首。高利特似乎沒有注意到他，只要迅速出手，他可以乾淨俐落地了結對方。高利特不是坦尼爾殺的第一個人，也不會是最後一個。

但話說回來，這是屠殺。高利特是他的囚犯。

「脫掉衣服。」坦尼爾命令他。

高利特從內心的恐懼中回過神來。「什麼？」

「衣服，脫掉。」

「我拒絕。」

「我是在救你一命。」坦尼爾說。「我可以把你綁起來，讓人明天早上發現你，或是直接殺了你。你告訴我該怎麼做，但是快點決定。」

一時之間，坦尼爾以為高利特要哭了。這種羞辱已經是他的底線了嗎？高利特默默看著坦尼爾一會兒，然後脫掉外套。

「內褲不用脫。」坦尼爾說。「動作快點。」戰地元帥脫到剩下內衣褲時，坦尼爾用匕首指向樹。「爬上去。」

高利特瞪大雙眼。「我爬不上……」

坦尼爾抓起高利特的後頸，把他推向大橡樹的樹幹。高利特動作難看地爬上最底部的樹枝。坦尼爾撿起高利特的衣服，跟著爬上去。

「繼續爬。」

高利特爬到約三十呎高，然後抱住一根粗樹枝，說什麼也不肯再繼續往上爬了。他雙眼亂轉，坦尼爾聽見他的牙齒打顫。

「我不能再爬了。現在就殺了我。」

「這裡夠高了。」坦尼爾用高利特的皮帶和褲管把他緊緊綁在樹幹上。「不舒服，但至少你不會死。」

坦尼爾把戰地元帥的襪子塞進他嘴裡。

然後不管高利特的抗議，開始爬下樹。回到地面時，已經完全聽不見對方的聲音，走出十餘步後，高利特就被他拋到腦後了。

坦尼爾計算牧光衛士巡邏的時間，在巡邏隊走過後溜到牆邊。堡壘本來有護城河，但是很久以前就被填平，留下一片濕地和幾座小池塘。

堡壘城牆起碼有六十呎高，而通往坦尼爾目標高塔的那面牆不下百呎，爬起來絕不容易。

他把火槍放在草堆裡，固定他的手槍和匕首，然後開始爬牆。牆面是由坦尼爾身高一半的巨大花崗岩塊略微傾斜堆疊而成，每一塊都有幾吋空隙供他手指施力。坦尼爾先用手測試了一番，才接著往上爬。

他爬到一半，底下走來一隊牧光衛士巡邏隊。他掛在牆上，靜靜地呼吸著，祈禱他們不會發現他的火槍。只要有人大聲說話，甚至不經意地抬頭，他就玩完了。他暗自咒罵自己為什麼要穿死人的制服，凱斯的淺褐色軍服在堡壘城牆的深色花崗岩前十分顯眼。

巡邏隊繼續前進，坦尼爾繼續爬牆。

他抵達牆頂的護欄下方，聽見上方巡邏守衛的腳步聲。一開始距離較遠聲音不大，接著越來越大聲。

坦尼爾貼在牆上，手指和手臂都爬得很痠。那是什麼聲音？他低頭看，下方很遠處又有另一支牧光巡邏隊前來。有人拉響警報嗎？

他放開一手，用單手從口袋夾出一根火藥條。吸火藥會發出聲音，所以他壓碎火藥條末端直接撒在嘴裡。

那可怕的聲音不肯消失。

火藥狀態增強，他緊抓牆壁，抵抗短暫的暈眩感。

坦尼爾差點笑出聲。

上面的守衛在吹口哨。

一聲慘叫打破了寂靜的夜晚，嚇得坦尼爾差點鬆手。叫聲來自他下方的一扇窗口。

坦尼爾的心臟怦怦直跳。他聽見護欄上的守衛在低聲咒罵自己，緊接著是那人跑去查看出了什麼事的奔跑聲。

沒有時間了。坦尼爾不確定慘叫的是克雷希米爾本人或神的受害者，還是自己被發現了。他爬上護欄，窺看牆頂。沒人。

坦尼爾沿著護欄輕手輕腳地往克雷希米爾的高塔前進。他看見堡壘對面牆上的守衛，所有人都在往下看著慘叫的源頭，似乎沒人注意到他。

他抵達高塔後，罵了句髒話。這一層沒門。他抬頭看，得在城牆守衛的視線範圍內再爬五十呎才行……等等，有窗戶，就在上方不到十五呎。

坦尼爾跳上石牆，以最快的速度爬行，沒多久就進了窗戶。

他發現自己落在高塔的螺旋階梯上。他回頭看了一眼來時路，不得不停下來眨眼，來消除暈眩感。

從這個高度摔下去可就慘了。

坦尼爾沿著階梯向上爬，來到塔頂一扇厚鐵門前。他停頓片刻，好奇神會在自己臥房門上加持什麼樣的防禦魔法。他低頭，慶幸自己的手沒在抖。下方沒有任何腳步聲，房裡也沒有呼吸聲。克雷希米爾肯定出去了。

坦尼爾輕輕推開門，門發出的長長嘎吱聲讓他皺起眉頭。他以為會看到類似南矛山克雷希米爾宮殿之類的景象——一張好床、昂貴的絲綢、厚地毯、牆帷，在自然與時間的洗禮下依然完好保存。但眼前的景象……並不像是神的豪華寢室。地毯不過就是髒兮兮的床單。窗簾——從前或許品質不錯——如今破破爛爛的。有一面全身鏡，但碎了。一張四柱床斜靠牆壁，兩根床柱斷了。

這真的是克雷希米爾的房間嗎？看得出來有人住，窗邊有張桌子上放著食物。坦尼爾走過去看向窗外，發現自己目前的位置在艾頓河上方。桌上有個大啤酒杯，倒了半滿，一隻不怕坦尼爾的老鼠在啃麵包。

一定弄錯了。坦尼爾見過克雷希米爾的宮殿，見過克雷希米爾的城市。創造出那些的神絕不會住在這種地方。

他能怎麼辦？一定是高利特在騙他。坦尼爾咬牙切齒，他要爬下塔剝了那隻蟲的皮。浪費半個晚上，就只因為……

他目光落在床上。床單上有血，鏽色的噴濺污漬。

坦尼爾開啟第三眼。

接著他跪倒在地，被艾爾斯中萬花筒般的色彩弄得頭昏眼花。成千上萬的色調翻滾飄動，彷彿魔法本身是在這個房間裡誕生的。坦尼爾必須深呼吸，才能忍住不吐出來。即便凱斯榮寵法師團耗費數月對肩冠堡壘施展最強大的魔法，南矛山也都不曾有過如此景象。

坦尼爾強迫自己閉上第三眼，緩緩起身。他拔出匕首，跌跌撞撞朝床走去，一把扯下床單。只要一、兩條布塊就夠了。他可以把布纏在腰上，塞在外套裡，用不了一分鐘就能從窗戶離開。

下一秒，坦尼爾停止動作。他聽見聲音，只是風聲，還是……

樓梯間傳來腳步聲。

他割下床單，抓了一把血布衝向窗口。

門開了。一名牧光衛士站在門口，手裡的餐盤上放著新鮮麵包、乳酪和一瓶紅酒。他停下腳步，目瞪口呆地看著坦尼爾。

接著，守衛把餐盤扔到地上，打破寂靜，拔出長劍，大叫一聲向他衝了過來。

39

湯瑪士不確定哪樣更令他不安，是海隆娜眼中突然浮現的恐懼，還是她接下來說的那句話。

「是真的，艾卓入侵戴利芙了！」她話聲嘶啞，一手摀住嘴巴。「你在這裡，那肯定就是真的了。」她在椅子上後仰，一時之間湯瑪士以為她會摔倒。

他衝到她身旁握她的手，被她甩開，彷彿他的手是條蛇。

「走開。」她喘著氣說。

「不是真的。」他說。「一切都不是真的。」

「我怎麼知道？薩邦呢？」

這是湯瑪士最怕的問題，他選擇迴避。「看著我，我有穿軍服嗎？那支部隊占領阿維玄後，妳見過我公開露面嗎？」

海隆娜表情驚恐地瞪著他。

湯瑪士繼續說：「你認為我會蠢到攻打戴利芙？在凱斯攻占巴德威爾威脅艾卓的時候冒險讓戴利芙加入敵軍？不，海隆娜，這是凱斯企圖引發兩國交戰的陰謀。」

海隆娜收拾好崩潰的情緒，站起身來，深吸一口氣，抬頭挺胸。從前的高貴氣息重返，她彷彿年輕了幾歲。

「解釋清楚。」她說著，目光堅定，語帶指責。

湯瑪士發現自己退卻了。他們十五年不見，他要怎麼說服她？

「我有兩旅步兵駐紮在一日路程之外。我們在巴德威爾之役後就受困於凱斯的領土。我的手下傷疲交加，飢餓難耐，我們北上是為了尋求阿維玄的庇護。妳能想像發現身穿艾卓藍軍裝的部隊占領本城時，我有多驚訝。」

「你能證明嗎？」

「證明？外面那些士兵，我敢說有一半只會說凱斯話。會說艾卓話的人，口音都比我的戴利芙話還重。我對這裡的情況不比你們清楚，但我有我的猜想。」

「你得提出比『猜想』更有力的證明。」海隆娜說。「戴瑪索林隨時會回來，他不會相信你的。」她說得好像她自己也不相信他。

「他是誰？」湯瑪士看向戴瑪索林奔出去追芙蘿拉的那扇門。

「我的小叔，文德倫公爵。」

「妳再婚了？我不知道。」

「十年前再婚的，我叫薩邦不要告訴你。薩邦在哪裡？戴瑪索林也不相信他，但同胞總比艾卓人可信。」

湯瑪士後退。他覺得自己被人甩了一巴掌。她要薩邦別告訴自己她再婚的消息？薩邦就像湯瑪士的兄弟，他曾經差點和海隆娜結婚，而如今她隨口帶過的態度好像那一切都無關緊要。

他暗暗克制自己。他有更重要的事要擔心。

他聽見走廊上傳來腳步聲。門開了，一個身穿戴利芙僕役外套的年長戴利芙紳士站在門口。他看到湯瑪士時似乎很驚訝，目光迅速在湯瑪士和海隆娜之間遊走。他一臉緊張，彷彿隨時準備衝到兩人之間。

「沒事，魯伯。」海隆娜說。「大家情況如何？」

「佛胡莉雅撐不到天亮。」魯伯回答。他說話的方式像是受過教育的總管。「英奈爾不會死，但我們得帶他離開。我們不能待在這裡，他們會找上門來。」

「誰？」湯瑪士問。「誰會找上門來。」

「指揮……」她猶豫了一下，然後說。「艾卓部隊的將軍，名叫索爾金。我們今晚計畫暗殺他，但是中了埋伏。他在我們撤退時看見我，而他知道我是誰。」

「我們只有幾分鐘。」魯伯說。

這時，觀測室的玻璃門打開，戴瑪索林大步走進來。他摘下黑手套丟在桌上，看見湯瑪士時當場愣住。

「他是誰？」他的目光集中在湯瑪士身上，瞇起雙眼。湯瑪士仔細打量他。戴瑪索林約三十來歲，鬍鬚刮得很乾淨，下巴線條分明。湯瑪士覺得他很有公爵的氣勢。

「一個老……朋友。」海隆娜說。「你抓到入侵者了嗎？」

戴瑪索林仍然瞪著湯瑪士。「顯然沒有。」他嗅聞味道，鼻子抽動。「她逃走了。」他說。「輕鬆翻過花園圍牆。是個火藥法師，我敢打賭。」他又聞一下。「這傢伙也是。」

戴瑪索林迅速將他的手槍和火藥條背帶拋向遠方。「不管是不是火藥法師，我都要殺了你。放下你的武器。」

「你以為你辦得到？」湯瑪士輕聲問道。

湯瑪士累了。他一路北上抵達阿維玄，滿心以為能夠尋求庇佑，卻發現該城落入敵軍手中，而他打算求助的人卻在懷疑他。

他知道自己該卸除武裝，讓他們知道他不是威脅，花時間解釋清楚。

但如果魯伯說的是真的，那隨時會有士兵趕來。湯瑪士不會為了一個拿劍的男人卸除武裝。

湯瑪士一手輕輕撫摸他的劍柄。

戴瑪索林撲了上來。

湯瑪士不到一眨眼的工夫就拔劍退後，戴瑪索林迅速追上。

「住手！他會殺了你！」

戴瑪索林放慢速度。湯瑪士微微放鬆，提高警覺。海隆娜是在對他說話？她知道他是誰，知道他有何能耐。

「戴瑪索林，」海隆娜說。「拜託，等等，他會殺了你。」

「我曾殺過火藥法師。」戴瑪索林咬牙切齒道。「我還殺過榮寵法師。我是文德倫公爵！」他說得好像湯瑪士應該聽過這個名號一樣。

他終於想起他確實聽過。內心深處有段記憶——文德倫，擁有嗅覺技能的男人，有血獵犬的鼻子，動作快得可與身處火藥狀態下的火藥法師相提並論。

湯瑪士壓低劍。

「你投降嗎？」戴瑪索林問。

「不。」

戴瑪索林又上前一步。

「我只是覺得你在浪費大家時間。」

「就是你，對不對？」海隆娜突然說。「剛剛在街上殺光那些士兵的人。我說過對方是火藥法師。」她對自己小叔說。

「我只看到影子。」戴瑪索林說著，搖晃劍尖。

「是我。」湯瑪士說。「要示範嗎？」

「我不喜歡被人威脅，老頭。」

湯瑪士打量戴瑪索林。肌肉結實，隨時準備動手。他的氣勢、自信和體態都說明了他是個劍技高超的劍客。

此時，一名年輕女子闖了進來。她的頭髮盤了起來，身穿大衣，湯瑪士感應到外套底下有兩把手槍。「女士，」她說，看了一眼房間裡拿劍互指的兩個男人。「街上有士兵。」

「把劍收起來！」海隆娜對湯瑪士和戴瑪索林嘶吼，然後轉而詢問年輕女子。「多少人？」

「八個，女士，但……」

「怎麼了？」

「全死了，女士。剛死的。」

海隆娜看向湯瑪士。

湯瑪士聳肩。「我只殺了追你們的那些人。」

門廊外有人敲玻璃門。所有人轉頭，湯瑪士看見芙蘿拉，她扛著一個很大的東西，他示意她進屋。

她踢開門走進來，把一個人扔在地板上。「這傢伙可以解答你們的問題。」她說。

「這位是我的上尉。」湯瑪士介紹道。「芙蘿拉，這位是海隆娜女士，阿維玄前市長。」

芙蘿拉看了海隆娜一眼。「坦尼爾提過她，你從前的愛人之一。她以前很美吧？」

海隆娜驚呼，湯瑪士發出一聲呻吟。戴瑪索林衝向湯瑪士。

「戰地元帥湯瑪士！」戴瑪索林吼道。「來吧，你這條狗！」

他以極快的速度撲向湯瑪士。湯瑪士差點來不及舉劍，身體後縮格擋了兩下，隨即後退。他在扭身閃避一次突刺時腳上突然一陣劇痛。

湯瑪士隨即摔倒。他屁股著地，壓到一個盆栽又撞倒它，在戴瑪索林進逼時舉劍防禦。

手槍擊發，戴瑪索林立刻止步。湯瑪士看著戴瑪索林的劍尖，幾乎看不清楚對方移動的速度。那感覺像在對抗勇衛法師。這人擁有他們的速度，但動作毫不笨拙。

芙蘿拉一手拿著冒煙的槍指向天花板，另一手的槍對準戴瑪索林。天花板飄下泥灰。「住手。」她說。「放下你的劍，我不會射偏的。」

戴瑪索林看了芙蘿拉一眼，又看向身居劣勢躺在地上的湯瑪士。湯瑪士強忍著腳上的劇痛。

絕不能示弱。

戴瑪索林不屑地哼了一聲，丟下他的劍。

湯瑪士聽見走廊上傳來幾組腳步聲。好幾個人探頭進來，手握槍劍。芙蘿拉的手槍一直指著戴瑪索林。

海隆娜比了個手勢要雙方都冷靜下來。她對門口的人說：「這裡沒事。準備撤退，我們得離開這裡。」

芙蘿拉用腳趾頂了頂腳下的人，那是個身穿艾卓軍用外套的男人，棕髮棕鬚。他還活著，瞪大雙眼，神色恐懼地看著芙蘿拉。「這傢伙可以回答問題。」芙蘿拉說。

戴瑪索林走過房間，雙手抓起男人的外套，拉他坐在地上。士兵的手臂被自己的腰帶綁住。

「他為什麼沒穿靴子？」戴瑪索林問。

芙蘿拉壓低槍管。「沒靴子就不太會想逃跑。」

湯瑪士趁眾人轉移注意時慢慢起身。他不知道哪個比較痛——他的腳，還是他的尊嚴。老到打不動了。他輕輕動了動腳，似乎還撐得住。難道只是一時虛弱嗎？但他最好不要冒險。

他還劍入鞘，一拐一拐地走向房間中央的大書桌，找個地方靠著。海隆娜看向他，目光帶有懷疑與恐懼。

「你是誰？」戴瑪索林審問囚犯。

對方繼續瞪大雙眼，在房內眾多不友善的臉上移動，保持沉默。

戴瑪索林用力搖他，從戴利芙語轉為艾卓語。「你是誰？立刻說！」

沒有反應。

戴瑪索林甩了士兵一巴掌。士兵突然掙扎，抓住戴瑪索林，試圖推開他，在芙蘿拉槍口貼上他脖子時停止動作。

芙蘿拉湊到士兵面前，以凱斯語詢問：「你聽得懂嗎？」那是一種輕柔語調，近乎誘惑，湯瑪士如果沒有處於火藥狀態下絕對聽不見。

士兵點頭。

「你想活命嗎？」

他用力點頭。

「親愛的，如果你想活過今晚，就乖乖回答這位好先生的問題。如果不想……」她用槍口輕輕摩擦士兵的脖子。

她還是用那種誘人的語氣說話，湯瑪士從未見過芙蘿拉這一面。

「我……我是艾鐸佩斯特的加爾霍夫，是艾卓士兵。」對方用口音很重的艾卓語結巴說道。

「再說一次。」芙蘿拉用凱斯語命令，並不斷以槍口輕輕摩擦對方脖子。「你要不弄出更正確的艾卓口音，不然就是突然對子彈產生免疫了。」

士兵在不轉頭的情況下看向脖子上的槍管，眼珠差點掉出來。他清了清喉嚨。「我叫加爾霍夫。」他改用凱斯語說。「但……我是凱斯人。」

「你在阿維玄幹什麼？」戴瑪索林問。「你收到的命令是什麼？」

「我們要攻占城外的守山人據點。」

「那為什麼要喬裝改扮？為什麼穿艾卓軍裝？」

「不知道，先生。」加爾霍夫說。「我只是個士兵。」

湯瑪士沒時間來這套。「猜！」他吼道。

「為了讓戴利芙把入侵的事怪在艾卓頭上。」

「但是，」海隆娜突然開口。「他們怎麼以為這種說詞不會被拆穿？城裡的人已經起疑心了。」她看了戴瑪索林一眼。「我說你們是凱斯人，已經說了一週。」

士兵閉上嘴，再度左顧右盼，尋找友善的面孔。

湯瑪士突然感到一陣深沉的恐懼。他越想越覺得肯定沒錯。開口時，他聲音嘶啞。「他們打算放火燒城——喔，該死的，整個阿維玄，他們都要放火燒個精光，殺掉所有男女老幼，只留下誣賴艾卓的證據，等有人開始懷疑時，戴利芙已經向艾卓宣戰了。」

「就連凱斯人也幹不出這種事。」戴瑪索林說。

湯瑪士心中毫無疑慮。「指揮部隊的傢伙是個怪物。」

「誰？」

「尼克史勞斯公爵，國王最寵幸的榮寵法師。他為了贏得戰爭不擇手段。」

「我聽過他。」海隆娜輕聲說道。

湯瑪士以警告的眼神瞪了她一眼。現在不是提起他和尼克史勞斯恩怨的時候。

魯伯突然出現在門口。「女士，」他提醒。「我們得走了。哨兵看到士兵從大街過來，超過一百人。我們現在就得走了。」

「傷者呢？」海隆娜問。

「抬走，不然就留給艾卓人。」

「他們不是艾卓人。」海隆娜說。「是凱斯人。動作快，把所有人帶去地窖。我們走舊地道過馬路去懷恩宅，然後前往米勒鎮。」

總管一點也不在意被人糾正。「好的，女士。」魯伯再度消失。

戴瑪索林撿回地上的劍，走到湯瑪士身邊。「我們還沒完，老頭。」說完，他把劍插回劍鞘。

「艾卓報紙說你是救星，我說你是屠夫和賣國賊。」

「我兩者都是。」湯瑪士聳肩道。

戴瑪索林似乎有點遲疑。他大步走出房間。

湯瑪士看著凱斯兵。「他知道我們要去哪裡。」他說。

「對。」芙蘿拉說著，抓起士兵後頸，推他出門。

海隆娜伸手摀嘴。「那個人……」

門廊外傳來槍聲。

「軍人的職責就是為國捐軀。」湯瑪士說。

「他是我們的俘虜。」

「他過去兩週都和他的同胞一起荼毒你們的城市。正義要即時降臨，不然就不會降臨。」

「你把艾卓貴族送上斷頭台時就是這麼說的嗎？」

「對。」

「你向來都說自己是個軍人。」海隆娜語帶指責地說道。「那你會將自己的死亡視為無可避免嗎？」

湯瑪士彎腰揉了揉腳。「死亡本就無可避免。我今年初就已經放棄會在孫子圍繞下死去的希望了。」他忍不住看向芙蘿拉剛走出去的那扇門，思緒飛奔到坦尼爾身上。他還活著嗎？他醒來了嗎？相隔如此遙遠，湯瑪士什麼都做不了。「有朝一日，」他說。「我會為國捐軀。我希望是死在戰場上，而不是凱斯劊子手手下。」

「你真的如此深信，是嗎？」

「什麼？」湯瑪士問。

「你做的都是對的。」

「當然。」

「有比殺那麼多人更好的辦法嗎？」

「可能有。」湯瑪士說。「但我沒選。」

告訴她，他體內有個聲音說，告訴她薩邦死了，你遲早都要告訴她的。從他口裡聽到總比其他人告訴她好。

「我要你幫忙。」海隆娜說。

「我本來也要這麼說。」

海隆娜皺眉。「我丈夫，戴瑪索林的哥哥，被艾……被凱斯軍抓走了，關在市立監獄裡。今晚我們計畫救出他和所有囚犯，這是我們計畫一週要進行的二十幾場攻擊中的一場。我們失敗了，而從我們的失敗可以判斷出其他攻擊也都失敗了。」

「監獄——所有俘虜都關在那裡嗎？」湯瑪士問。「他們幾天前在高原邊境抓了我的一個斥候，那就是我只帶芙蘿拉來的原因。我們要救他。」

「我不知道。戴瑪索林在全城都有眼線，你可以問他。」

但他會不會回答湯瑪士又是另外一回事了。

湯瑪士發現戴瑪索林正站在前門留意凱斯軍的蹤跡。湯瑪士聽見士兵在街上的聲響，就在圍牆外面。他們悄無聲息地行動，可能聲音太小，戴瑪索林並沒有聽見。

戴利芙人神色不屑地瞪了湯瑪士一眼。

湯瑪士沒理會那道目光。

「四天前，」湯瑪士說。「凱斯軍在平原上抓走一名我的斥候，我是來救他的。我聽說你哥哥也在監獄裡，我想我們可以互相幫忙。」

戴瑪索林看都不看他一眼，冷冷回應：「我不要你幫忙。」

湯瑪士咬緊牙關，忍住不回嘴。短視近利的混蛋，典型的貴族。

「我兒子，」湯瑪士輕聲道。「半死不活地躺在床上，因為他選擇要拯救艾卓，而不是他自己。他人在艾鐸佩斯特，我不知道他是否還活著。凱斯軍抓走的人是我亡妻的哥哥，他或許是我在世上唯一的親人。」

湯瑪士繼續說：「你認為我是怪物，或許你是對的。但凱斯抓住了你哥哥，也抓了我兄弟，我認為如果我們合作，就能救回他們。」

戴瑪索林沒有回應。湯瑪士數了幾下心跳，然後轉過身。

他沒有其他能夠動搖此人的話可說了。

「等等，」戴瑪索林突然說。「他們三天前從南門帶了個囚犯進來，是個壯漢，身穿守山人司令背心。」

「就是他。」

「我的線人說他在同一座監獄裡。我會幫你。」

「謝謝你。」湯瑪士說。

「我會幫你，但如果有必要，我殺你時絕不會手軟。」

40

坦尼爾拔出匕首撲向前去。

他抓住牧光衛士的衣領，把自己連同對方一起推出房門。兩人滾落階梯，四肢糾纏，喘著氣互相咒罵。坦尼爾趁機抓住螺旋階梯的牆壁縫隙，勉強止住自己的跌勢。

牧光衛士又摔了幾階才停住。他背靠著牆，拔出匕首，擦了擦嘴角的血。

「守衛！」牧光衛士大叫。

牧光衛士揮舞匕首重新往上撲過來，儘管位置處於劣勢，動作依然極快，迫使坦尼爾必須不斷跳躍閃避瞄準自己腳部的匕首。

坦尼爾矮身砍向牧光衛士的腦袋，被對方閃過，匕首擦過坦尼爾腳邊的石階，迸出火花。他隨即踩住牧光衛士的手腕，箝制對方行動，然後湊上去對準脖子就是一刀。他感覺到自己的胯下被對方重擊，整個人狠狠仰摔在樓梯階上。強烈的噁心感襲來，胃好像整個翻了過來。牧光衛士爬上階梯，舉起匕首。

坦尼爾雙腳抵著對方胸口，奮力一踢。

守衛驚叫著滾了下去。

坦尼爾轉身準備跑回塔樓，卻發現樓梯上有道身影，離他們打鬥的位置不遠。那道身影在黑暗中看起來不過是個影子，卻讓坦尼爾背脊發涼。

幽靈帶著單眼面具，身穿白色長袍。

是克雷希米爾。

坦尼爾恐懼萬分地往上衝，用力關上塔頂房間的門，奔向窗戶，打算直接跳入艾頓河。他無法判斷出河水有多深，這一跳可能會摔死，就算沒死也會被河水沖向巴德威爾。

但賭這一把總比直接面對克雷希米爾的魔法強。

坦尼爾在口袋裡摸索，血床單沒了。如果他就此離開，此行就完全失去意義。

在那裡，在房間中央的地板上。他肯定是在和牧光衛士打鬥時弄掉了。坦尼爾抓起那塊亞麻布塞入腰帶。

就在這時，房門被打開了。

牧光衛士毫不遲疑地衝向他，坦尼爾抓住衛士推向窗口。

他透過對方的肩膀看見克雷希米爾。

「住手。」神說。

他的聲音宛如鐘響，在坦尼爾腦中迴盪。

牧光衛士跌跌撞撞遠離坦尼爾，摀住自己的耳朵。坦尼爾抓住他的肩膀，把人推向克雷希米爾，然後再次奔向窗口。

幾步之後，他奮力躍起，盡可能遠離高塔。狂風在他墜落時呼嘯而過，艾頓河的黑暗河面迅速朝他逼近。

坦尼爾墜入水中，撞擊的力道逼出他體內空氣。他的腳陷入河底的淤泥裡，感覺到自己被急流撕扯，雙手拚命摸索著想要浮上水面。他的肺部灼燒，緊閉的下顎也在劇痛。

片刻後，他破水而出，喘著粗氣。他身後的堡壘迅速遠去，急流將他沖向河岸。他感覺到腳掌撞上石頭，然後又再次被水流吞沒。他連忙掙扎著再次冒出水面。

堡壘裡的人大聲嚷嚷，對著他指指點點。他得游向對面河岸，順流而下往巴德威爾的方向去。水流快到足以幫他甩開任何追兵，他或許能在城市廢墟中銷聲匿跡，躲到明天晚上。他看向對面河岸。

坦尼爾眨了眨眼。不對勁。

河岸不再移動。河水在動，他能感覺到水流在拉扯他，但他沒移動。

坦尼爾感到一陣反胃，突然發現自己從上而下看著河岸。怎麼可能？他還在水裡。

他沒困惑太久就想通了。

他——還有一大片河水——都被魔法舀出河面。彷彿有個巨人用手捧起水喝，而坦尼爾就在他的手掌心。他膽顫心驚，眼看自己越升越高，開始往堡壘前進。

坦尼爾游向邊緣，那裡空無一物，摔下去就是堅硬的地面。他伸出手指試探，撞上一片堅硬的空氣牆。

沒過多久，坦尼爾——外加數千加侖的水——就這麼落在堡壘的中庭裡。

艾頓河的混濁河水灑在石灰岩地上。坦尼爾站起身，水及腳踝，他迅速環顧四周。

「跪下！」

牧光衛士擁入中庭，以凱斯語叫道。對方有數十人，坦尼爾釋放感知，失望地發現他們拿的都是空氣來福槍，沒人身上有火藥。

他伸手去抓匕首，發現匕首沒了，掉在河裡。他還掉了一把手槍，而另一把則完全濕透，火藥毫無用處。雖然如此，他還是拔出了那把槍，翻轉過來握著。城牆上的牧光衛士拿著空氣來福槍瞄準他。

「跪下！」第一個趕來的衛士拿長矛威脅他。「跪下，豬玀！」

他似乎很驚訝坦尼爾回身一撲，掠過長矛尖端，一槍柄敲在他臉上。坦尼爾拋下槍，搶走牧光衛士的長矛。他蓄勢待發，很清楚這場架打不贏。

一把空氣來福槍擊發，然後又一把，子彈在中庭石板地上反彈。坦尼爾衝向最近的牧光衛士。持續移動，他對自己說，增加射擊的難度。他衝到衛士中間，幾個衛士因此被自己人擊倒。

「停止。」

坦尼爾絆了一跤，差點鬆開長矛。他突然一陣頭昏眼花，呼吸困難。再一次，那個聲音宛如巨鐘敲響。

牧光衛士丟下武器，跪倒在地，摀著耳朵。

坦尼爾強迫自己繼續前進。步履維艱，如行泥沼。

「我說停止。」克雷希米爾出現在中庭一扇門外。他灑在中庭裡的艾頓河水似乎流到他腳邊就乾涸了，讓他每一步都能踏在乾燥的石板上。

坦尼爾繼續前進。他的身體想停下來，但他知道不能停，他得繼續前進，逃脫神的掌握。

「你為什麼不聽我命令？」克雷希米爾的嗓音是坦尼爾聽過最低沉的聲音，聲音在他耳中迴盪。神腦袋側向一邊，一臉好奇。他指向石板地。「跪下。」

「下地獄去！」坦尼爾啐道。他奮力前進，渾身顫抖。

「跪下！」

堡壘震動，一名牧光衛士發出慘叫。坦尼爾感覺到面具後的困惑。

「抓起來。」克雷希米爾低聲道。

牧光衛士紛紛起身。坦尼爾拚命掙扎，試圖對抗他們。

但他完全無法出手。

有人搶走坦尼爾的矛，有人用空氣來福槍柄搥打他的背，逼他下跪。

「是間諜，大人，」衛士隊長說。「又一個刺客。」

「誰派來的？」

有人伸手抓他頭髮，扯著他仰頭面對克雷希米爾。「回答你的神，壞蛋。」衛士隊長說。

坦尼爾清了清喉嚨，一口啐在克雷希米爾腳上。

槍柄擊中他的臉。

「業餘的。」坦尼爾說。

凱特將軍的憲兵還打得比較凶。

「大人，是個艾卓人。」衛士隊長說。

克雷希米爾後退一步。「是誰派你來的？」他停頓片刻又問。「他為什麼不回答？他的神在問他話。」

下一秒，矛柄擊中坦尼爾下巴，令他擔心自己的下巴會不會脫臼。有東西打中他肚子，他頭髮遭到拉扯，再度被揍，然後又一下。這些人不是業餘的，和這些人相比，第一下打得很輕。

「回答你的神。」衛士隊長說。

坦尼爾不吭聲。

「打斷他的手。」

一名牧光衛士抓住坦尼爾手腕，用力往後拉，膝蓋對準他手肘用力一頂，就和折斷木柴一樣。坦尼爾咬緊牙關，忍著不叫出來。一下、兩下、三下。

「打斷。」衛士隊長又說。

「打不斷，感覺像要打斷砲管一樣。」牧光衛士揉著膝蓋道。

「去拿鎚頭。」

「笨蛋。」克雷希米爾的語氣令牧光衛士畏縮。神走上前，低頭看著坦尼爾。

坦尼爾感覺魔法的高溫宛如火焰緩緩籠罩而來。

「求饒。」克雷希米爾說。

坦尼爾搖頭。

「求饒！」克雷希米爾下巴突然緊繃，坦尼爾感到熱浪迅速襲來。他不由自主地後退，準備迎接最劇烈的疼痛。

然而，克雷希米爾卻忽地後退，張口哀號。他越叫越大聲，如果一直叫喊下去，可能會摧毀整座堡壘。坦尼爾以為他要瘋了。神摔倒在地，拍打著無形的火焰，低聲啜泣。

坦尼爾心裡浮現笑意。他哈哈大笑，彷彿在不恰當的時機想到什麼笑話。

肯定是卡波加持的保護魔法。

克雷希米爾無法突破那道魔法。

神縮在地上。他的面具掉了，透過一隻恐懼的眼睛看向坦尼爾，另一隻眼裡充滿膿汁，滲出黑色液體淌過瘀青腫脹的臉頰。「你對我做了什麼？」克雷希米爾質問。

坦尼爾笑得合不攏嘴。「噢，」他說。「不是我。你見過波了。」

坦尼爾嘗試移動，卻動彈不得。

克雷希米爾盲目摸索著面具。他戴回面具，爬起身，但沒有繼續靠近坦尼爾。

「把艾卓叛徒帶來。」克雷希米爾語帶恐懼地下令。「叫他確認間諜的身分。」

克雷希米爾派人出去已經三十分鐘了。坦尼爾四肢著地，累得垂頭喪氣。

克雷希米爾說的叛徒會是誰？坦尼爾一直以來都懷疑是凱特，她非常熱衷於下撤退命令。還是朵拉維？

當然，有可能是比較低階的人，將軍的助手，甚至是信差，很多人都可以接觸到能讓凱斯取得優勢的情報。

不過坦尼爾有一種預感，不會是低階軍官。他認為是上校，甚至是將軍。

克雷希米爾在堡壘中庭一角來回走動。每隔一段時間，他就會轉頭看坦尼爾一眼。

坦尼爾挑釁地瞪回去。他打敗過這個神，他在克雷希米爾眼中塞了顆子彈，證明神也會痛。

他不會讓克雷希米爾逼他卑躬屈膝。

當然，坦尼爾知道經歷幾天折磨後，他很可能會改變想法，必須面對現實。卡波的魔法似乎能幫他抵擋魔法，或許還包括永久性的肉體傷害，但事實證明，他還是會痛。

這很有意思。他可能會敗在保護他的魔法下，凱斯人可以永遠不停地折磨他。

連接中庭的走廊上傳來腳步聲。坦尼爾身體後傾，他要在死前看看那個叛徒的模樣，對他眼睛吐口水。

「大人，你召見我？」

坦尼爾猛地轉頭。

叛徒是個肥胖的老頭，他佩戴將軍肩章，艾卓藍制服的左袖因為斷臂而固定在肩膀上——西蘭斯卡將軍。

「這個殺手是誰？」克雷希米爾指向坦尼爾。

「大人？」西蘭斯卡轉身，在看見坦尼爾時瞪大雙眼，嘴角無聲地動了動。

「你認得他？」

「我確實認得他，大人，他就是你在找的人，那雙燧發槍後的眼睛，雙槍坦尼爾。」

「我就怕……」克雷希米爾喃喃低語。

坦尼爾站起來。那感覺就像身上壓著整座堡壘的重量，膝蓋苦苦支撐，雙腳劇烈顫抖。

「我要殺了你。」他對西蘭斯卡說。

「你們派他來？」克雷希米爾問。

將軍神色擔憂。「不，大人，他此刻應該被囚禁在亞頓之翼的營區裡。」

「為什麼？」坦尼爾問。「我父親信任你！」之前的一切——逮捕、軍法審判、攻擊卡波，全都是西蘭斯卡幹的？

「他提到一個叫波的人。」克雷希米爾說。

西蘭斯卡皺眉。「我不認識……啊，有個女孩叫卡波。」

「她是高強的法師嗎？我為什麼沒聽過她？」

「給我閉嘴，西蘭斯卡！」坦尼爾奮力朝他們衝過去。衛士連忙趕上來，用長矛和空氣來福槍擋住他。

「她只是個小孩，真的是小孩，是雙槍的夥伴，一個野人。」

「是法師？」

「骨眼法師，某種蠻族法師，力量微不足道。」

「殺了她。」

坦尼爾放聲怒吼。他感覺到矛頭插入肩膀，在他強行突破牧光衛士時撕裂他的皮膚和血肉。一名衛士擋到坦尼爾面前。坦尼爾毫不停步，抓起衛士的喉嚨，捏碎對方的氣管。

西蘭斯卡拔腿就跑，但他跑得太慢了。坦尼爾縱身一躍，手指亂抓，打算用雙掌壓爆叛徒的腦袋。

要不是克雷希米爾出現在兩人中間，他肯定已經成功了。

神舉起一隻手，坦尼爾再次感受到之前那股壓力壓在身上。

他繼續前進，拍開克雷希米爾的手。他的身體感覺不像自己的，完全受到體內的怒氣支配。

坦尼爾碰到神的肉身時，滿心以為拳頭會擊中鋼鐵，結果反而是克雷希米爾大叫一聲，中拳倒地。坦尼爾的指節狠狠擊中了他的下巴，然後是他的臉。神的面具掉在地上，坦尼爾發現自己跨在神身上，不停毆地打他。

克雷希米爾鼻血直噴，牙齒鬆動。

坦尼爾的手指緊扣神的喉嚨，牧光衛士把他拉開。他胡亂揮拳，擊倒好幾名牧光衛士，然後才被制伏在地。

「別殺他！」克雷希米爾吼道，奮力爬起身。他滿臉鮮血，白袍都被血染紅了。「不要殺他。」他又說。克雷希米爾戴回面具，慢慢自坦尼爾面前退開。「吊起來，我要讓全世界看看自以為能殺神的人會是什麼下場。」

牧光衛士把坦尼爾拖過中庭。他放聲吼叫，拳打腳踢。他在被拖出中庭時他聽見克雷希米爾對西蘭斯卡說：「明天我要燒掉艾卓軍隊。」

「大人，您確定嗎？亞頓怎麼辦？」

「一起燒了。」

阿達瑪在妻子的懷抱裡待了一夜，第二天起個大早，前往臨河區。

雖然才早上七點，但那裡已經有人聚集了。太陽正從東邊的廢棄天際王宮上空冉冉升起。阿達瑪知道今天會是個晴朗的好天氣，天上幾乎沒有雲，天空湛藍金黃。

他在舊城的殘破城牆上找了個俯瞰艾德河的位置，河道在那裡轉入艾鐸佩斯特，然後繞道注入艾德海。阿達瑪坐在牆上，雙腳垂在牆邊，吃著他向街頭小販買來的肉餅。失去喬瑟的事依然令他不安。或許菲說的沒錯，現在其他孩子需要他，他得在這個新威脅前保護他們。

他希望喬瑟能原諒他。

北方沒有船的蹤跡。或許是理卡想得太嚴重了，貿易公司的商船當然不可能這麼快就開過整條艾德河。

但他還是繼續等。理卡並沒有預測出克雷蒙提船艦的抵達時間，而阿達瑪不想錯過那一刻。他沒有計畫，沒有阻止克雷蒙提的方案，只能眼睜睜看著。他有預感今天會讓他永生難忘。

十一點左右，人潮已經多到馬車無法行駛的地步。人馬雜沓，呼聲震天，似乎沒人知道現在是什麼情況，他們唯一的消息來源就是理卡昨晚趕印的報紙。

人群顯然情緒激動，警方傾巢而出。不止一個老兵穿上褪色的艾卓藍軍裝，扛著五十年歷史的老舊火槍，也有人攜家帶眷跑來古城牆上野餐，酥餅師傅和肉餅攤販對群眾大聲叫賣點心。

阿達瑪向賣報的買了份報紙，仔細閱讀理卡的頭條新聞。那是一篇煽情的文章，鼓吹人民走上街頭，守護他們的城市，對抗外來勢力的入侵和暴政。阿達瑪放下報紙，看著兩個小孩在艾德河畔玩泥巴水，彷彿今天是什麼慶典節日。

他趁等候克雷蒙提的船時翻閱報紙。凱斯境內傳來未證實的消息，宣稱戰地元帥湯瑪士還活著。戴利芙傳來最新消息，宣稱艾卓軍在攻擊他們的城市。這太荒謬了。

人群中逐漸升高的喊叫聲將阿達瑪從報紙中拉了出來。

地平線上出現船隻。

一開始是白點，緩緩沿河而來，隨著午後的時間一點一滴過去，船隊逐漸逼近。他們前進的速度很快，就在淺水上航行的商船而言太過輕巧。他們放下所有船帆順流而下，而且還順風。

船隊終於在下午兩點抵達艾鐸佩斯特。阿達瑪從未搭過遠洋商船，一輩子只到過幾次海港城市，對於遠洋船的知識大部分來自書本，但他看得出來領頭的船艦是第四級的船，一側船身有二十三個砲口，掛著綠白條紋旗，旗面中央有個桂冠，那是布魯丹尼亞—葛拉貿易公司的標誌。

船隊收起船帆，順流而下。阿達瑪看見水手在甲板上忙進忙出，布魯丹尼亞步兵面無表情地凝視在艾鐸佩斯特等著他們的群眾。

砲口都是打開的。

如果克雷蒙提是來侵略艾卓，他根本不用放人下船就能摧毀大部分城區。

他們沒有放下小船。步兵似乎打算就這麼站在船上，什麼都不做。至於水手……

阿達瑪仔細觀察他們。發生了什麼事？他怪自己不懂船務。對方放下橫木，解開船帆收好。

阿達瑪很快就發現他們在收桅杆。

他甚至不知道桅杆可以收起來。不過這很合理，儘管艾德河北段的橋都改建成可供桅杆船通行的高度，艾鐸佩斯特城內的橋卻沒有改動。如果克雷蒙提想要讓船艦駛入艾德海，那最有效率的做法就是把桅杆全部放下，順著河流漂下，到開放水域中再重新豎起。

阿達瑪急切地想要做點什麼，但這一大群人似乎都和他一樣毫無方向。所有人就這麼看著桅杆被收起。他們還能做什麼？那些船都在河上下錨，武力強大，只有艾卓部隊能夠阻止他們。

阿達瑪很驚訝桅杆竟然這麼快就能弄下來。他起身，在船啟錨順流而下時跟著船走。更讓他驚訝的是，那些船竟然在橋梁之間再度下錨，停在艾德海出海口半哩外。

他注意到，他們停在高聳於新城區的克雷辛大教堂旁。

阿達瑪走下舊城城牆，擠過人群，過橋朝克雷辛大教堂走去。他時不時會轉頭去看那些船，但是毫無動靜。甲板上的人都很忙碌，但還是沒看到小船放下來，或是開砲。

克雷辛大教堂和艾德河之間有座露天劇場，專供教會主教向大批民眾布道。阿達瑪抵達劇場時，那裡已擠滿了來看大船的人。

這是個死亡陷阱。阿達瑪咒罵擠在劇場裡的蠢蛋。克雷蒙提只要一輪砲火就能炸死數百人。

他在附近看到一張熟面孔，於是往河邊擠過去。理卡站在那裡，旁邊都是他的助手和其他工會領袖，飛兒也在他身邊。

「理卡，現在究竟是怎麼回事？」阿達瑪問。

「不知道。」理卡似乎和其他人一樣困惑，正謹慎地看著那些船。「我帶了大隊人馬，攜帶所有能找到的武器前來，但如果克雷蒙提開火，我們根本什麼都不能做。我們只能等他上岸才能阻止他。」

「誰會蠢到那樣做？」阿達瑪問。

「看，」有個工會領袖說。「他們放了一艘小船下來。」

阿達瑪看過去。水手在甲板上奔走，突然有艘小船轉出甲板，被放到水面上。他們垂下一道繩梯，有人開始爬下船。

「給我望遠鏡。」阿達瑪說。飛兒把她的望遠鏡遞給他。

他找到那艘船，觀察片刻。船上有六名布魯丹尼亞士兵、數名槳夫，還有幾個戴禮帽的人。

阿達瑪停下來專注盯著其中一人。

「他來了，」阿達瑪說。「在小船上。」

「誰？」

「克雷蒙提。」

「你怎麼知道？」

「我知道他的長相。貿易公司倉庫裡有幅小畫像，那時他還不是公司領袖。」

「讓他來，那個混蛋。」理卡說。「我們等著他。」

克雷蒙提看起來一點也不擔心。他在槳夫說笑時大笑，然後拍了拍一名士兵的背。他相貌英俊，顴骨很高，和隨著年紀與財富而鬆弛的軀體形成反差。他目光充滿活力，表情愉悅，看起來和他已故的走狗維塔斯一點也不像。

小船划離大船，克雷蒙提站在船頭，一副領軍入侵敵國的指揮官模樣。除非阿達瑪全盤搞錯，不然他確實就是入侵敵國的指揮官。但他的手下在哪裡？他為什麼近乎孤身上岸，迎向一群聽說他是來奪走他們家園的暴民？

小船在離岸一段距離外停下，拋下船錨。克雷蒙提抬頭挺胸，面對劇場，張開雙手。

「艾鐸佩斯特的公民——」他面帶微笑地開口，異常洪亮的聲音從河面那端傳來。

41

湯瑪士站在老教堂的鐘塔上俯瞰阿維玄，厚重的雨幕傾瀉而下。

清晨昏暗多雲，湯瑪士認為天色不會隨著時間變亮，他甚至連查勿山脈都看不見，雖然此地離山不到一哩。

今天是非常適合部隊暗地裡攻城的天氣。

卻是非常不適合打仗的天氣。

火藥會濕掉，地面泥濘不堪，而在凱斯軍身穿艾卓制服的情況下，雙方都無法分辨敵友。

下方街道充滿運送補給品的凱斯士兵。

他擔憂地看著他們工作。雖然他真心希望他猜錯了，但如果他沒猜錯，尼克史勞斯撤離本城前的最後一項行動就是放火燒城並屠殺百姓。他會製造足夠的混亂，讓人沒有餘力去追究攻擊行動的幕後主使身分。

阿維玄附近山上的守山人哨站位於二十五哩外。今天早上，湯瑪士隱約聽見那個方向傳來砲擊聲，尼克史勞斯在攻擊守山人據點。

那座據點防禦能力不強，不像南矛山那種堡壘，比較像是有搭建防禦工事的收費道路，在兩個凱斯步兵旅攻擊下撐不了多久。

湯瑪士數小時前派芙蘿拉回去找第七旅和第九旅。此刻他很想她。現在沒人會幫他留意身後，戴利芙游擊隊又不信任他，所以他大部分時間都在監視凱斯軍，尋找他們的規律，並等待尼克史勞斯採取行動。他隨時留意道路，希望能看見加瑞爾被迫和囚犯一起幫凱斯軍勞動的景象。

湯瑪士聽見下方禮拜堂裡有動靜。大門開啟又關上，片刻後，石階上傳來一組腳步聲。湯瑪士手指掃過槍柄，夾出一根火藥條。他謹慎地打開，捏出一點火藥撒在舌頭上。這個量能驅趕疲憊、增強視力，不會有任何火藥癮的風險，剛好夠他繼續撐下去。他希望如此。

海隆娜爬上鐘塔樓梯，來到湯瑪士身邊，站在塔頂的大銅鐘旁。他朝她點帽示意。

「海莉。」他說。

「湯瑪士。」

他們一聲不吭地站了幾分鐘。

湯瑪士偷偷瞄了她幾眼。他昨晚的第一印象有失公允，她依然是個氣質高雅的女人，莊重威嚴，抬頭挺胸，雙手交握，身穿樸素的棕羊毛裙，看起來卻像穿著比軍人一年薪水還貴的絲袍一樣自在。

她並不算保養得不好，只是年紀大了而已。

他們年紀都大了。他自己、海隆娜、加瑞爾都是。她擔任阿維玄市長將近三十年，和首任丈夫一起統治了二十年，然後在國王的命令下獨自統治十年，那些工作就足夠讓女人看起來比實際年齡蒼老。

「你一直沒回來。」她突然說。

「海莉……」

她蓋過他的音量。「我從未真的期待你回來。我不怪你，至少沒有非常責怪。我現在知道你的目標何在。我不認同過去十五年裡驅使你活下去的動力，但至少我瞭解。」

艾莉卡死後幾年內，湯瑪士換過數十任愛人。

只有一個女人令他遺憾。

「你的離開給我帶來很強烈的痛苦，」海隆娜繼續說。「因為我還認定你會回來找我。你跑來這裡待了幾個月，然後就消失了。但……我要你知道一件事，我要你知道那幾週裡，你讓我驚奇不斷，我變成了可以起身對抗世界的女人。在我漫長的人生中，只有兩個男人讓我有那種感覺，就是你和我第一任丈夫。」

「妳第二任丈夫……」

海隆娜輕笑一聲。湯瑪士用眼角偷瞄，發現她臉色紅潤，拿手帕掩住嘴。「我丈夫是個懦夫。該死，我不屑說出他的名字。」她嘆氣，倚靠鐘旁的石柱。「我敬重他，他是南戴利芙最高明的商人之一，但同時也是南戴利芙最懦弱的懦夫之一。我不愛他。」

湯瑪士望著傾盆大雨，想著沒說出口的話。她不愛她丈夫，但她愛湯瑪士。他吞嚥喉嚨中的硬塊。

他清了清喉嚨。「我很遺憾，海莉。無論如何，我很遺憾。」

「你遺憾……」她又笑了，笑聲裡夾雜著一絲哽咽。

湯瑪士覺得自己的心被撕成兩半。他眼前是個堅強的女人，她有資格和溫史雷夫女士等最頂尖的女人站在一起，向他求愛，但那都是世人發現他是個極度頑固的老鰥夫前的事了。

海隆娜撫平連身裙，同時平復了自己的情緒。「凱斯軍抵達時，我見過他們將軍。」她說，突然換成談論公事的語氣。

「他們突襲我們，偽裝成艾卓士兵大搖大擺入城。第一天晚上，他把所有貴族聚集在市長官邸，宣稱我們都已淪為囚犯。他的艾卓口音無懈可擊，戴利芙語也說得很好，一點也聽不出是凱斯人。我一開始深信不疑。」

「後來我開始想，我認識你，從薩邦的來信看來，他有能力影響你的決策，你們兩個都不會攻打戴利芙，所以會不會是你手下的將軍發狂了，叛變了，那個將軍——他看起來像個狂人，很危險也很致命。」

「妳有看到他的手嗎？」湯瑪士輕聲插嘴。

海隆娜皺眉。「沒有，他的手一直塞在外套裡。被你一說我也覺得奇怪了，但我當時完全沒有留意到這部分。」

「他沒有手。」湯瑪士說。

「沒有手？」海隆娜似乎很驚訝。「我認為我會聽說過沒有手的凱斯將軍。」

「那是……最近才發生的事。」湯瑪士說。「而且他也不是將軍，是榮寵法師。」

「榮寵法師怎麼可能沒……喔。」她默默盯著他一段時間。「你砍掉他的手，是不是？」她頓了頓。「你就這麼痛恨榮寵法師嗎？」

「我恨的是他這個人。」湯瑪士努力壓抑語氣中的情緒，但壓抑得不太成功。「尼克史勞斯公爵逮捕和處決艾莉卡，然後把她的……她的……」

他感覺她的手輕碰他的肩膀。他閉上雙眼，任眼淚流下。他永遠不會原諒自己辜負艾莉卡。

「湯瑪士。」海隆娜說。

他清了清喉嚨。「薩邦真的被逐出家族了？」

她縮手，靠回石柱。「火藥法師在戴利芙並不違法，不過也不像艾卓那樣有國家贊助。我們的父母認為他應該要加入戴利芙軍，但如果他那麼做，軍方會無視他的天賦，彷彿他根本不是火藥法師。當年你跑來邀請他加入，成立全世界第一個火藥法師團時，他欣喜若狂，我從未見他那麼高興過。但我父母不明白。」

「他沒對我說過。」湯瑪士說。

「他不會說的。」海隆娜說著，向湯瑪士露出微笑。這讓他回想起她多年前有多美麗。「你是他最好的朋友。」

「他從前也是我最好的朋友。」

她的笑容倏地消失。「從前？」

「他死了，海莉。」

她後退一步，再退一步。「什麼？不——不要是薩邦。」

「被槍殺的，凱斯勇衛法師動的手，是尼克史勞斯公爵的人。」

「你……就這樣任由他死去？」

「沒有。我們遭受伏擊，我……」

前一刻的溫柔眼神消失了，愛和情感也全都沒了。她呼吸變得凝重，手握緊裙擺，眼中充滿恐懼。她轉身逃離鐘樓。

「海莉！」

湯瑪士聽見下方傳來禮拜堂門被用力關上的聲響。他背靠巨鐘，感覺鐘微微搖晃，但沒有發出聲響。他搖了搖頭，望向雨中的眼神沒有聚焦。

他所到之處是否只留下了痛苦、死亡、悲傷、寡婦和哀悼的家人？他雙手握拳。她怎麼敢責怪他？薩邦是他最好的朋友，過去十五年裡都是他最信任的親信。

不，她沒有錯怪他，他簡直就是死亡使者，絕不能把心愛的人交到他的手上。

大約一小時後，湯瑪士聽見禮拜堂門再次開啟，樓梯上傳來緩慢沉穩的腳步聲。湯瑪士皺眉猜想對方是誰，隨即聞到一股薄荷菸味。

「長官。」歐蘭來到他身邊。他身穿大衣，壓低軍便帽，遮著被雨淋濕的雙眼。外套下穿的是他的艾卓藍軍服，佩戴湯瑪士昨晚給他的上校肩章。那感覺好像已經是上輩子的事了。

「我以為你沒菸了。」湯瑪士看著歐蘭嘴裡叼的菸。

歐蘭取下菸，轉向側面，彷彿那是根很奇怪的菸，然後緩緩從鼻孔吐煙，又把菸塞回嘴裡。

「在城裡看到香菸攤。」

「看來你很清楚輕重緩急。」

「當然。你臉色不太好，長官。」

湯瑪士回頭看向街道。「有時候我覺得自己像瘟疫。」

「這種論點，」歐蘭想了想後同意道。「可以成立。」

「你讓我感覺好多了。」

「我盡力而為，長官。」

「你跑來做什麼？我叫芙蘿拉去下達指令，不是命令你過來。你又是怎麼大白天渡河的？」

「我假裝自己是扮成艾卓上校的凱斯上校。」歐蘭說。「輕鬆到令人害怕。」

「他們都沒要求文件或證明？」

「在這種雨天？」歐蘭指了指大雨。「你不瞭解徵兵入伍的士兵，長官，這種鬼天氣沒人會看證件的。」

「太散漫了。」

「我會說是幸運。我有情報。」

湯瑪士站直了。「什麼情報。」

「有一支戴利芙部隊位於一天半的路程外，正從西方過來。我們的斥候幾個小時前就發現他們了。」

「規模？」

「至少有幾個旅。」

「見鬼了。」

「長官，這難道不是好事嗎？」

「或許是。我們得盡快進攻。」

「準備不充足，長官。」

「必須準備好。我們得讓戴利芙軍看出阿維玄的情況不單純，不然他們的部隊會攻擊我們，認定我們是占領阿維玄的部隊。」

「跟我來。」他說著，走向鐘塔梯。「隨時戒備。我或許會挑起一場打不贏的戰爭。」

芙蘿拉等在樓梯下。

「我的火藥法師呢？」他問。

「在四分之一哩外的廢棄工廠裡待命。」

湯瑪士示意她一起走。他查看禮拜堂外的街道，然後前往米勒鎮。地面泥濘不堪，滿地都是排泄物和垃圾。他們穿越幾條小巷，避開凱斯巡邏隊，然後進入一座大磨坊。

兩個戴利芙游擊隊員在守門，他們讓湯瑪士進去，然後懷疑地打量著芙蘿拉和歐蘭。湯瑪士爬樓梯上二樓。

戴瑪索林在看報告，幾名隊長和間諜等在旁邊。他在湯瑪士進房時抬起頭，但是沒有向他打招呼。

湯瑪士算了算房內的人數。如果要開打，他得對付六個人。

湯瑪士脫下手套丟到桌上，加重語氣質問：「你為什麼沒告訴我部隊的事？」

戴瑪索林再度抬頭。「什麼部隊？」

「別跟我來這套。你的間諜遍布全城，我知道你能送人出城和入城，有支戴利芙部隊就在一日路程之外。」

「你沒必要知道。」說完，他便繼續低頭閱讀報告。

湯瑪士雙手撐在戴瑪索林面前的桌上，傾身向前，距離對方的臉只有幾吋。「你還想再打一架嗎？你想賭賭看我的腳會不會再次扭到？你讓我的部隊陷入險境。」

他聽見身後傳來動靜，戴瑪索林的手下不安地移動腳步。如果要動手，湯瑪士會把他們交給歐蘭和芙蘿拉。

戴瑪索林放下報告，靠回椅背，手指慢慢移向腰間的劍。

「如果凱斯軍發現──而他們肯定已經發現了，他們今晚就會燒城，並在明天早上離開。」

「這種天氣他們什麼都燒不了。」

「尼克史勞斯會想辦法燒的，到時候你們全都會死，而我的部隊會在原地淪為代罪羔羊。存活下來的人會說這場襲擊是艾卓軍幹的。如果你的國王攻擊我們部隊，誰都不會是贏家。你打算拿全城人和戴利芙士兵的命去冒險，只因為你認定我是屠夫？」

戴瑪索林手指停止移向他的劍。「我們得今晚行動，天一黑就動手。」

「你查出囚犯被移送到哪裡了嗎？」

「查出來了。」

湯瑪士忍著不發作。戴瑪索林知道這個情報多久了？

「你能製造騷動嗎？」湯瑪士問。

「不能，」戴瑪索林說。「你只有一個人被抓，我有幾十個，包括我哥在內。我去救他們，你製造騷動。」

「他們被關在哪裡？」

「我不認為你有必要知道。」

湯瑪士想掐死戴瑪索林，但他不確定是否要挑起這場鬥爭，也不願冒著腿傷復發的風險。他有更適合掐死的目標。

戴瑪索林拿出一張地圖攤在桌上。「凱斯主營區在這，約兩百人駐紮。混進去引爆他們的備用火藥，半哩內的士兵就會驚慌逃命。」

湯瑪士轉過地圖，讓南方朝著自己。他審視那些標記，然後掐指計算距離。

「不，」湯瑪士說。「這招用過了。你們昨晚並沒有成功，有人洩露情報給凱斯軍，他們會準備好應付攻擊監獄的你們，還有攻擊軍營的我們。」

「那我們能怎麼辦？」戴瑪索林問。「我不知道天殺的叛徒是誰。」

「你要騷動？我幫你製造騷動。這個索爾金將軍，他住在市長官邸裡，對吧？」

戴瑪索林遲疑地回應。「對。」

「他還在那裡嗎？」

「一小時前在。」

「告訴你的間諜，戰地元帥湯瑪士要去殺索爾金。」

「那有什麼用？」

「索爾金就是尼克史勞斯，他的手是我砍下來的。如果他知道我在城裡，那他會拋下一切來找我。」

「那你就會踏入陷阱。」戴瑪索林抬手。「別誤會了，你若今天死去，世界會變得更美好。但如果他太快殺了你，這座城就會和你一起陪葬。」

湯瑪士的手指沿著地圖移動，記下城內的街道。「我已經兩度踏入他的陷阱，不打算再來一次。不過幫我個忙……六點左右，再把情報透露給你的手下。」

「你打算告訴我要怎麼避開陷阱嗎？」戴瑪索林問。

湯瑪士心不在焉地用手指敲打著地圖。「我認為你沒必要知道。記住，六點，我要徹底解決那個混蛋。」

42

他們打了整整一夜。

他們用拳頭和棍棒毆打坦尼爾。他時而昏迷，時而清醒，不過幸運的是，他大部分時間都在昏迷。他們終於把他拉到室外時，他能感覺到寒冷的空氣吹在皮膚上。他透過血淋淋的雙眼看見太陽才剛剛自東方的山後冒出頭。

天亮了。

卡波可能已經死了。

坦尼爾雙腳被拖在地面，牧光衛士正扛著他穿越凱斯營地。成千上萬的聲音與軍隊準備早餐的聲音一同傳入他耳中。坦尼爾不禁想，這些人中是否有誰知道——或者在乎——他是誰。

他被人面朝下粗魯地摔在地上，只得對著土地呻吟。他覺得自己渾身麻痺和崩潰，已經被牧光衛士打成一灘肉泥。他的身體一、兩天內就會變成一大塊瘀青，如果他還能活那麼久的話。

他舔了舔嘴巴內側，懷疑牙齒怎麼都還在。是卡波魔法的威力嗎？防止他斷骨？他覺得自己肋骨斷了，不過完全無力檢查。

真的沒力氣了嗎？

坦尼爾睜開雙眼。周遭有很多人在忙碌，他看見許多雙腿彷彿形成一片海。

「一、二、拉！一、二、拉！」

指令一再重複。他們在幹什麼？

他忍痛將自己的手掌拉回眼前，動一根手指，再動下一根手指，所有手指都還能動，這應該算是好事吧？那他指節上的傷痕是從哪來的？

喔，對了。

是克雷希米爾的牙齒。

一隻強壯的手拉起坦尼爾。他向後搖晃，差點跌倒。他的手臂被人一把抓起，手腕被用堅韌的繩索綑綁起來。

「綁緊點。」有人叫道。「他會在上面吊一陣子。」

什麼上面？

坦尼爾的手被舉到頭頂上，他覺得手腕間的繩索被扣上某樣東西，之後守衛就離開了。坦尼爾腳下一軟，但他沒有摔倒。

「一、二、拉！」

坦尼爾身體顫抖，被綑縛手腕的力量拉得離地而起。

「一、二、拉！」

坦尼爾驚慌地雙腳亂踢，但腳下除了空氣什麼也沒有。他抬頭，看到他被掛在固定於一根巨木的鉤子上。底下好幾組人在拉繩索，將巨木豎起，直到木樁直指天際。

他想起祖蘭被釘在凱斯營區中央的木樁上、雙手齊腕被砍斷的模樣。

他吐了自己一身。

「一、二、拉！」

工人花了不少時間把木樁拉至定位。坦尼爾的背終於撞上木樁，腳努力在木樁上找尋落腳處，但完全沒有。

他面對艾卓營地。

晨曦之中，他看見士兵在前線聚集，指指點點、議論紛紛，幾名軍官在拿望遠鏡觀察他。他閉上雙眼，不敢回應他們的目光。那些他曾以為能帶領他們獲得勝利的弟兄，將會看見他如今的處境。

他得警告他們。克雷希米爾昨晚是怎麼說的？他計畫焚燒部隊，連米哈理一起燒掉。

一個刺耳的聲音傳來，低沉的喉音，但有一定的規律。慢慢地，坦尼爾聽出來是有人在笑。

「雙槍。」那個聲音說道。

坦尼爾伸長脖子。

就在那裡，左側唾手可得的距離有著另一根巨木樁。看來他們是在夜間把木樁移得更靠近前線。祖蘭還掛在上面，沒有手掌的焦黑手腕被交叉綑綁，形成一種變態般的求懇姿勢。

「沒想到會在這裡見到你，雙槍。」她說。

坦尼爾偏過頭不去看普戴伊人。

「抱歉，是我的聲音太難聽了嗎？他們已經兩個月沒給我水喝了。」她住口，清了清喉嚨，又發出一陣刺耳的笑聲。「不會死的人就會有這種問題。」她咳嗽，然後又笑。

坦尼爾閉上雙眼，希望她不要再說下去了。

「氣色不錯呀，雙槍。」祖蘭說。「我是真心的。看看我，克雷希米爾折磨了我幾週才把我吊上來，我很好奇他為什麼不對你如法炮製。別擔心，吊上個兩週，你就會煥然一新。我就不一樣了，我永遠不會康復，克雷希米爾會確保這一點。我最近沒照過鏡子，但告訴我，我臉上那道迷人的疤痕還看得到嗎？」

她是不是因為在上面吊太久，又死不了，終於瘋了？坦尼爾雙手開始因為支撐體重的關係而痠痛。繼續吊在這裡，痠痛程度只會越來越惡化。他終於轉頭看向祖蘭。

她看起來很醜，大部分頭髮都掉了，之前看起來年輕柔軟的皮膚，如今和舊皮革一樣又乾又皺。她的臉被刻意毀容過——鼻頭被割掉，大部分牙齒也沒了。她對坦尼爾笑，彷彿很清楚他心裡在想什麼。

她眼中充滿瘋狂。

「和往常一樣迷人。」他抬頭看自己雙手，手腕被繩子綁住，越來越痛了。他嘗試抬起腳，但是片刻後就在呻吟聲中放棄——痛苦和憤怒參半的呻吟。

「那種痛不會消失。」祖蘭說。「幾個月都不會。就算你的手麻了，還是會從肩膀深處感到抽痛。我發現──」她緩緩側過頭，臉上浮現痛楚的神情。「換手支撐重量可以稍微紓緩一些。」

坦尼爾閉上雙眼。他能撐那麼久嗎？他能活幾個月，眼睜睜看著他的國家焚燒，完全束手無策嗎？

他看見艾卓軍裡有人騎馬接近凱斯戰線，高舉白旗。

停戰？還是說西蘭斯卡那個叛徒終於說服參謀總部投降了？

坦尼爾開始奮力掙扎。他得擺脫這條繩索。

⚔

湯瑪士在磨坊充當穀倉的地窖裡找到海隆娜。這是磨坊中唯一能有點隱私的房間。地窖中瀰漫著陳年乾麥子的味道，湯瑪士的鼻子裡滿是灰塵。

海隆娜在他輕敲門框時抬起頭來。管家魯伯站在房內，一看見湯瑪士，他立刻起身。

「你殺了我弟弟。」海隆娜說。

湯瑪士知道這樣說很不公平，知道這件事不是他的錯，薩邦很清楚在湯瑪士麾下的風險，但湯瑪士也曉得，要讓海隆娜這樣認為是不可能的。

「我要請妳幫忙。」

「去死，走開！」

「海隆娜……」湯瑪士上前一步。

魯伯迎上前，以身體擋在主人面前。

湯瑪士瞇眼瞪著管家。「海隆娜，我必須混進市長官邸。我要殺了那個殺害我妻子和妳弟弟的傢伙。」

魯伯向前移動，直到胸口貼上湯瑪士胸口。「我家主人叫你走開，先生。」

海隆娜抬手。「魯伯，沒關係。」她拿手帕拭淚。她的手還是舉著，彷彿要一些時間考慮。片刻後，她放下手。「魯伯，我要你帶湯瑪士走官邸密道。」

「女士，您確定嗎？」

「確定。」

湯瑪士自管家身前退開。「謝謝妳，海莉。」

「殺了那個混蛋，湯瑪士。」海隆娜說。「折磨他。」她斷斷續續吸口氣。「之後我再也不要見到你。」

「我明白。」

湯瑪士離開磨坊。芙蘿拉在雨中等他，她頭戴三角帽，身穿大衣，對湯瑪士輕輕點了點帽沿，雨水順勢流下。她靠著來福槍站立，他能看見她外套下的藍軍服和腰間的手槍。

「歐蘭回部隊了？」

她點頭。

「其他人呢？」

「在待命。」

湯瑪士點頭。過了一會，魯伯上街和他們會合，一起離開米勒鎮。湯瑪士的火藥法師團悠閒地坐在磨坊區外緣一家咖啡廳的露天座位。

他只帶了最頂尖的手下來。薩邦夏天在艾鐸佩斯特訓練的新人都還在城裡，他們的經驗和訓練都不足以應付這種任務。

他的火藥法師團打扮都和芙蘿拉一樣，大衣和三角帽，每個人身上都盡可能攜帶最大量的武器和彈藥，從手槍、劍到匕首都有。湯瑪士嘴角揚起笑容。八名男女，每個人都是天賦異稟的火藥法師，在他看來他們的實力就和一支軍隊差不多。湯瑪士迅速確認街上沒有凱斯巡邏隊，然後轉向法師們。

「我們要製造騷動，讓戴利芙人救出凱斯囚禁的政治犯。」湯瑪士說明任務。「加瑞爾也在裡面。我想去救我們的人，但我們有更重要的任務要執行。」

「我們的任務是要砍斷這支可憎凱斯佔領軍的腦袋。我們要直取咽喉。你們都知道我和尼克史勞斯公爵的恩怨，所以你們都知道我……享受這個任務。」

這話在火藥法師中掀起一陣輕笑。

「但如我所說，我們要製造騷動。我打算盡可能引誘最多兵力。對方肯定會有勇衛法師，或許有好幾十個。儘管我們戰技高超，風險還是很大。這是幫我報仇的任務，我不會要求各位為了幫我報仇而犧牲性命。」

其中一位名叫李奧娜的火藥法師，不比芙蘿拉大上多少的女孩，開口說道：「長官，你打算死在這裡？」

「我從來不打算死在戰場上，那種打算通常會成真。然而……有些時候，我失敗的機會遠大於成功。」

「這就是他『打算死在這裡』比較花俏的說法。」芙蘿拉說。

湯瑪士瞪了她一眼。

「長官。」安卓亞舉手。

「如何？」

「我從軍是為了殺凱斯人。過去兩個月來，我的來福槍刻了五十七條記號，我希望戰役結束時增加到一百條。那裡會有四十七個凱斯人嗎？」

「我想有。」

「非常好，長官，我加入。」

「其他人也一樣。」芙蘿拉低聲道。

「謝謝各位。」

「不是為了你，長官。」安卓亞說。「是為了殺凱斯人。」

「無論如何，我都心存感激。魯伯，麻煩你了。」

他們跟著管家穿街走巷，沿途閃避凱斯巡邏隊。湯瑪士在陰影中觀察對方。他們步伐急促，神色警覺。湯瑪士認得那種表情，他在葛拉的同志眼中見過，撤離前的最後一天在陌生城市中巡邏，帶著期待——也擔心可能會出事。

市長官邸和海隆娜的居所位於同一個高級住宅區。他們小隊人馬在有圍牆的花園間遊走，抵達一座離主街很遠的樹林公園。魯伯帶他們進入樹林，來到管理員小屋。

屋子很小，剛好夠他們全部擠在裡面。魯伯移動一張桌子，然後拉開舊地毯扔到旁邊，露出下方的暗門。他點燃提燈，進入地窖。

地窖十分簡陋，經過表土進入土層。表面上看來，就是一座普通地窖，走道約四呎寬，十餘呎長，末端有個小房間。當他們抵達房間，轉過轉角，面前又是一條黑漆漆的走道。

湯瑪士踏在泥濘的地面上，數了約四百步，努力避免大衣刮到潮濕的走道，最後走上一道石階，進入一座空間寬敞的地窖。這是一間石室，角落擺放著蒙塵的衣櫥、雙人床，還有一座空的火槍架。房間對面有一道向上的旋轉梯。

「這個房間和密道，」魯伯說，這是他加入他們之後第一次開口說話。「是很久以前的逃生密道，當時戴利芙這個地區動盪不安。」魯伯指向旋轉梯。「那道樓梯會帶你們抵達二樓，出口在市長主辦公室的假書櫃後。我現在就回去找我主人。」

湯瑪士在魯伯下樓前抓住他肩膀。「告訴海莉……告訴她，我真的很遺憾我沒有回來。」

魯伯掙脫湯瑪士的手，帶著唯一的提燈進入地道，把湯瑪士和火藥法師留在黑暗中。

湯瑪士在舌頭上撒了些火藥，讓他在全黑的環境中能隱約視物。他緩緩走上樓梯，盡可能放輕動作。鐵梯在他的體重下嘎吱作響。

樓梯頂端有光，源於兩個對湯瑪士而言太矮的洞。他臉貼在牆上，透過窺視孔觀察外面。視線很狹窄，能看見房間對面有雙扇門、一座分支燭台和沙發上半部。

他開啟第三眼。

艾爾斯中有一塊塊的色彩，從亮度判斷是勇衛法師，不過距離太遠，不可能在市長官邸裡。他沒看見榮寵法師。

湯瑪士輕推暗門。

暗門無聲地往前滑動，然後滑向旁邊，發出幾乎細不可聞的聲響。湯瑪士走進市長辦公室。房間很大，有十幾座鍍金分支燭台、書櫃、兩座大壁爐，還有俯瞰官邸前庭的大窗戶。

辦公室裡沒人。

湯瑪士鬆了口氣，輕聲指示標記師上來。他們魚貫而入，在一塵不染的紅地毯上留下泥腳印。他以手勢指示他們監視門窗。

他們檢查隔壁房間和外面的走廊。

幾分鐘後，芙蘿拉來到窗口，站在他身旁。「這些辦公室裡都沒人，長官。」她說。「樓下前門有兩個勇衛法師。安卓亞說有聽見士兵在一樓的僕役區交談。」

「幹得好。」

「現在怎麼辦？」

「等著。」

「長官，你確定尼克史勞斯會回來這裡嗎？」

「如果我沒猜錯的話。」

安卓亞回到辦公室。「長官，主臥室有行李。」

湯瑪士看著他的懷錶，剛過六點。「時機就是一切。」

湯瑪士看著窗外。前庭有十幾名士兵，他們立正站好，面對圍牆大門，火槍扛在肩上。湯瑪士在前庭一角看到一個勇衛法師，在這個位置只能隱約看見。

他每隔幾分鐘就看一次懷錶。尼克史勞斯會回來嗎？他聽說自己要來找他了嗎？或許他錯估尼克史勞斯了。或許尼克史勞斯選擇逃跑，而不是嘗試抓捕湯瑪士。

湯瑪士在幾匹馬進入圍牆大門時將注意力轉回前庭。馬後面跟著一輛有蕾絲窗簾和鍍金裝飾的馬車，馬車繞過迴轉道後停下。湯瑪士只要從窗口丟塊石頭就能砸中車頂。

車門開啟，一個戴利芙女人下車。她看起來約十六歲，身穿凸顯豐滿胸脯的禮服。湯瑪士在她踏上碎石道、神態威嚴地左顧右盼時感到一陣失望。

不是尼克史勞斯。

湯瑪士從窗前退開。

「長官！」芙蘿拉比了個手勢要他回去。還有第二個人下車，他似乎有點吃力，前臂倚靠著門框。是個男人，他戴著白色的榮寵法師手套。一名勇衛法師走出官邸，攙扶他下車。那人的臉有一部分被三角帽遮住。

湯瑪士希望榮寵法師會稍微轉過頭，好讓他確認對方的身分。

榮寵法師停下來對士兵說話。聲音太小，湯瑪士聽不清楚。士兵朝榮寵法師點頭，然後轉向其他人。「我們兩小時內離開！」他大聲道。「天黑前沒準備好的人就槍斃。」

湯瑪士依然盯著戴三角帽的榮寵法師。那人一定是尼克史勞斯！但湯瑪士還是看不清楚他的臉。不管他是誰，他都在和旁邊的女士親暱交談。

他們才剛踏上官邸台階，一名信差突然衝入前庭，在激起的碎石中緊急停步。信差跳下馬背，奔向榮寵法師。

湯瑪士覺得心跳加速。

信差敬禮，氣喘吁吁地回報。榮寵法師用手肘推開他，轉身走向官邸。

湯瑪士聽見樓下的門被人用力推開，榮寵法師的聲音在屋內迴盪。

「召集所有人！」他大叫。「所有勇衛法師來我這邊集合！我要二十分鐘內聚集五百名士兵。傳令下去！我們一小時內離開！」

「但長官，」湯瑪士聽見有人說。「我們還要燒城！」

「我才不在乎這座城，就算戴利芙投入艾卓陣營我也不在乎。他來了，白痴！他來了！」

「尼克史勞斯。」湯瑪士輕聲道。

湯瑪士看著信差衝出官邸前的車道，傳遞尼克史勞斯下達的指令。

「好了，戴瑪索林，」湯瑪士喃喃說道。「騷動開始了。」

門廳樓梯間傳來急促的腳步聲，伴隨尼克史勞斯氣急敗壞的命令。

湯瑪士低頭看到自己握住了一把手槍，另一手放在劍柄上。他手指顫動。

「他要來了。」安卓亞在門邊的位置嘶聲道。

「我們在這裡等他嗎？」芙蘿拉問。

湯瑪士眨了眨眼，看見阿維玄老教堂尖塔上吊著的戴利芙政客屍體，看見查爾曼碎石道上薩邦無神的雙眼，還有為了追捕尼克史勞斯而折損的無數士兵。

他看見艾莉卡的頭飄在眼前。她的臉，表情恐懼，金髮染血，頸部乾淨俐落的斷口。他看見尼克史勞斯滿臉獰笑地端出他亡妻的頭顱。

湯瑪士把一整條火藥條撒到嘴裡。能量湧入體內，他的身體彷彿起火燃燒。芙蘿拉肯定在他臉上看見某種情緒。

「該死。」芙蘿拉罵道。「安卓亞，讓開。」

湯瑪士衝出辦公室雙扇門，拔出一把槍。「尼克史勞斯！」他吼道。

43

「艾鐸佩斯特的公民。」克雷蒙提聲音洪亮地說。

強化過的音量令阿達瑪膝蓋痠軟。「見鬼，」他嘶聲道。「他帶了榮寵法師！」這是他的聲音能蓋過圍觀群眾的唯一解釋。

「我的朋友，」克雷蒙提繼續說。「我的兄弟姊妹，我的同胞！我從世界最遠的角落帶來問候。我今天來見各位，我的艾卓同胞，在各位面前謙遜下跪，宣布參選我們美麗的國家第一行政官之職。」說到這裡，克雷蒙提單膝跪地，低下頭。片刻後，他起身，張開雙手，彷彿要擁抱所有河畔的男女老幼。

「這是個偉大的國度！我們擁有許多事物，我們有工會、軍隊、亞頓之翼、銀行，還有守山人。我們有現代世界最先進的工業，我們有雙槍坦尼爾和已故的戰地元帥湯瑪士那些舉世無雙的英雄。」

克雷蒙提嘆了口氣，再次低下頭，彷彿受到情緒影響。「戰地元帥湯瑪士為了各位犧牲性命，我的朋友，他為我而死，為了讓我們不受凱斯暴政荼毒而亡。他擁有遠大的眼光和抱負，我絕不會讓那一切隨他而逝！」

群眾一片死寂。阿達瑪聽見有人弄掉了錢幣，他咒罵自己竟屏息等著克雷蒙提繼續說下去。

「因為這個國家此時此刻最需要的就是希望。為了這個希望，我帶來九千名布魯丹尼亞最精銳的士兵，投入艾卓部隊，對抗凱斯入侵者。」他伸手揮向等在河面上的貿易公司船艦。「我帶來火砲、來福槍和補給品，我帶來食物和錢，我帶來世界各地的珍奇寶物，全部都將投入對抗凱斯的戰爭之中。」

「我做這些完全免費。不必向我道謝，也不必留下任何一毛錢。我只要求各位審慎考慮，並在即將到來的選舉中投我一票。」

阿達瑪注意到有其他小船下水了。那些船上滿載布魯丹尼亞士兵，他們一落水就開始搖槳滑向岸邊。克雷蒙提自己的船也已經起錨，慢慢接近劇場。

「我的同胞，」克雷蒙提繼續在一片寂靜中說道。「這個國家必須改變，我們是思想前衛的國家，在思想和工業上都成就非凡的國家！在我任內，我將繼續支持改革，在邁入下個世紀的同時持續進步。我們會拋下傳統，拋下迷信，拋下愚蠢。」

「諸神——他們為你們做過什麼？」他搖了搖頭。「什麼都沒有。克雷希米爾和亞頓回歸的謠言？那是真的！但是聽好了，我們不會忍受他們，他們在我們的世界中沒有一席之地，而我打算讓他們明白這一點。」

「我們或許是凡人，但我們英勇、自豪，就連神也要在艾卓這個強大國度前顫抖。」

「我的朋友，一切從今天開始，我們將迎來新的世界。」

最後那個字幾乎細不可聞，但阿達瑪覺得心臟劇烈跳動。有事發生了。克雷蒙提打算怎麼做？他究竟能怎麼……？阿達瑪拿出遺忘許久的望遠鏡看向克雷蒙提。

克雷蒙提轉向身旁的女人。女人揚起雙手，露出紅符文的白手套。她是榮寵法師。

阿達瑪讀出克雷蒙提的唇語：「毀了它。」

魔法劃破澄澈的天空，在群眾間引發恐懼驚呼。白色閃電宛如匕首刀光，貫穿了劇場上空，擊中克雷辛大教堂。無形的刀刃刺穿石牆，巨型建築中噴出大量煙塵。

一個隱形拳頭擊中了大教堂的圓頂，整座建築物瞬間坍塌。人們邊逃離墜落的石塊邊恐懼尖叫，但魔法控制住毀滅範圍，所以在阿達瑪眼中彷彿沒人受傷。

塵埃落定後，阿達瑪轉向克雷蒙提。男人再度站上船頭，對群眾喊話。他舉起雙手。

「這只是個開始，我的兄弟姊妹，這個世界，我們要搶回來！」

湯瑪士第一顆子彈本來可以射穿尼克史勞斯的眼睛，但是一個勇衛法師推開了榮寵法師。子彈擊中勇衛法師肩膀，導致他身形搖晃。畸形怪物拔劍，上樓衝向湯瑪士。

湯瑪士也拔劍迎向勇衛法師。怪物大喊挑釁，湯瑪士則低吼回應。雙劍交擊一次、兩次，接著湯瑪士衝入勇衛法師的防禦範圍內。他抓起勇衛法師的脖子，感覺火藥的力量貫穿全身，把對方從走道欄杆丟下門廳。

尼克史勞斯滾下樓梯，從大理石地板上爬起來。他一隻手套掉落——湯瑪士停步查看，不，是整隻手掌都掉了。

他裝上假的手掌為了騙自己的手下他還能施法嗎？或許是如此，但湯瑪士不在乎，他三步併作兩步衝下樓梯。

尼克史勞斯逃向大門，瘋狂地指著湯瑪士，對手下大喊：「殺了他！」

空氣中瀰漫著黑火藥的氣味。湯瑪士感覺到能量衝擊，芙蘿拉點燃凱斯士兵身上的火藥，眾士兵當場炸成碎片。

其他士兵持劍攻向他。看來尼克史勞斯聰明到知道要讓幾個士兵不攜帶火藥。湯瑪士用劍尖擋下刺擊，將對方的劍甩向一旁，然後一劍刺穿該士兵的胸口。他繼續前進，尼克史勞斯則一臉驚恐地持續後退。

一把匕首旋轉掠過湯瑪士臉旁，擊中身後的大理石欄杆。他轉向擲出匕首的傢伙，是一名勇衛法師，隨即在對方勢如公牛撞上他時悶哼一聲。

湯瑪士感覺自己騰空而起，狠狠撞到欄杆上。欄杆應聲斷裂，使得他和勇衛法師同時滾下樓梯，摔向地面。

他感覺到怪物的手指掐住自己喉嚨。湯瑪士抓住那隻手腕，另一掌擊中對方手肘。怪物手臂折斷，反方向轉九十度。湯瑪士抓住勇衛法師的衣領猛踢，把他從自己身上掀下去。

湯瑪士站起身時，大廳已經擠滿士兵，大部分都死了或即將死亡，不是被火藥法師擊斃，就是被自己的火藥筒炸飛，但還是有很多凱斯人擋在面前。

湯瑪士看見尼克史勞斯逃向一條側廊。

「該死！」湯瑪士罵道。他跳起來，結果又摔了回去。斷手的勇衛法師抓住湯瑪士的腳，對他揮出匕首。

湯瑪士猛地把腿從對方手中拔出，讓那刀砍在大理石地板上。怪物撲了上來，湯瑪士以護手格開匕首，再以劍柄擊中勇衛法師的臉，然後閃身後退，避開匕首。

怪物站了起來。

但立刻被從二樓走廊跳下來的安卓亞用刺刀刺穿頭顱和腦子，又再度倒下。

「好了，」安卓亞說著，衝向凱斯步兵。「去殺公爵！」

湯瑪士衝向尼克史勞斯消失的走廊。那條走廊很長，可能有一百碼，通往官邸另外一條側廊。湯瑪士開啟第三眼，驅退暈眩感，尋找勇衛法師或榮寵法師的蹤跡。

一個士兵大叫著從旁邊的房間躍出。湯瑪士關閉第三眼，感覺到有劍劃過腹側時轉過身。他擋開另一下刺擊，拔出第二把手槍，從腰間位置擊發。子彈擊中凱斯兵的胸口。那男人往前一撲，接著又試圖後退，倒地時臉上浮現難以置信的表情。

湯瑪士丟下凱斯兵，沿著走廊狂奔。受傷的腳宛如打鼓般抽痛，腰側的劍傷在空氣中刺痛。他在轉過走廊末端轉角時放慢速度，又看見另外一條百步長的走廊。

然而那裡並沒有尼克史勞斯的身影。

「長官！」芙蘿拉氣喘吁吁地跑來他身邊。

「他往這裡跑了。」他說。

她點頭，快步走到他前面。

芙蘿拉跑到離他十五步外時，一名勇衛法師從一扇門衝出，撞上她。他衝勢不止，帶著芙蘿拉越過走道，摔入對面的房間裡。

「芙蘿拉！」湯瑪士衝上前去，卻在聽到有人叫喊時停步。

「站住。」是尼克史勞斯，聲音從芙蘿拉和勇衛法師消失的那扇門後傳來。

「我要殺了你。」湯瑪士說。

「如果你要她活命就不要過來。」

湯瑪士低下頭。隨身的兩把槍都擊發過了，他或許能夠讓子彈轉彎進門——不，他知道他一定能辦得到。

「芙蘿拉？」湯瑪士喚道。

沒有回應。

「如果她死了，」湯瑪士說。「我就沒理由不過去。」

湯瑪士聽見有人怒哼一聲，然後是芙蘿拉的聲音。「我沒事，長官。」

「暫時沒事。」尼克史勞斯說。「但如果她再咬我的勇衛法師，我就讓他扭斷她的頭。我拿她當盾牌，湯瑪士。如果你讓子彈轉彎進來，就會射中她。」

湯瑪士將劍收回鞘中，拔出一把手槍，迅速穩健地裝填彈藥，然後塞入腰帶中，接著裝填另一把槍。

「你的腳如何？」尼克史勞斯叫問。「想不到你還站得起來。」

「一個神治好了我的腳，感覺棒透了。你的手怎麼樣？克雷希米爾有幫你長回來嗎？」

聽到對方低聲咒罵，湯瑪士感到很痛快。

「投降，湯瑪士，不然我就殺了這個女的。」

「殺了她，」湯瑪士說。「我不在乎。」

「我想你在乎。我認得這個人，是芙蘿拉。我沒告訴你是我在幕後主使的對吧？我是說色誘她的事情。」湯瑪士又聽見一下哼聲，是勇衛法師的，然後是尼克史勞斯的笑聲。「你八成以為是那些貴族幹的。好吧，那小子也是這麼想的。」

「她背叛坦尼爾。」湯瑪士說。「我說過了——殺了她。」

尼克史勞斯不認同地嘖嘖兩聲。「喔，湯瑪士，我熟知你的一切。我知道你的希望和恐懼，我知道你喜歡什麼。她向來都是你最喜歡的女人之一。坦尼爾解除婚約後，你有沒有想過要上她？

我知道你有。突然恢復單身了，這對你的誘惑肯定很大。」

湯瑪士開啟第三眼，離開牆邊。他透過牆壁看見尼克史勞斯在艾爾斯裡的魔光，位於轉角後數十步外。靠近一點，他可以看見勇衛法師散發的微光和芙蘿拉幾乎難以察覺的光芒。勇衛法師把芙蘿拉擋在身前。如果湯瑪士讓子彈轉彎，很可能會射中芙蘿拉。

「丟下你的手槍，湯瑪士，這樣我就不殺她。」尼克史勞斯說。

「我有什麼理由相信你？」

「你別無選擇。前庭擠滿了士兵。我不在乎你帶來多少法師，但你們寡不敵眾。你丟下武器，出來投降，我保證這個女人可以活命。」

「你幹嘛這麼寬宏大量？」湯瑪士邊問邊拔出第二把手槍，一槍瞄準榮寵法師，一槍瞄準勇衛法師。

「我也不知道我是怎麼了。」尼克史勞斯說。「或許因為我想把你的頭插在木樁上！」他提高音量。「想一想，湯瑪士。不過兩個月前，還是我受困在大宅裡，你的士兵闖入庭院。如今完全反過來了！或許我殺你之前會先砍掉你的手。」

湯瑪士檢視牆壁。大理石鋪在石灰岩外層，一顆子彈要半根火藥筒才能貫穿這種牆，還要用能量保護子彈，避免子彈粉碎。一顆子彈他能辦到，兩顆就不能了。

「是我就不會浪費時間。」湯瑪士說。他壓低瞄準尼克史勞斯的手槍，鬆開擊鎚。他把槍放在地板上，滑到走廊中央，讓勇衛法師看見。

「我沒武器了，現在放她走。」湯瑪士說。

「我要先看到你跪下！」尼克史勞斯吼道。

湯瑪士目光集中在勇衛法師在艾爾斯中的黑點。他全神貫注在子彈上，槍管抵住牆壁，扣下扳機。

他一扣下扳機立刻丟槍，撲向走道，著地打了個滾，抓起另一把槍，蹲伏在地。他以意志力碰觸火藥，手槍在他手中擊發。

兩顆子彈都擊中勇衛法師。第一顆貫穿牆壁，角度較低，射穿怪物的脖子，第二顆擊中他雙眼中間，芙蘿拉肩膀上方。勇衛法師向後摔倒，抓著芙蘿拉的手依然沒鬆開。

湯瑪士看見尼克史勞斯跑過勇衛法師身後的房間。

湯瑪士自勇衛法師屍體手中輕輕拉起芙蘿拉。怪物本來用匕首抵住她喉嚨。她喉嚨上的割傷在流血，但湯瑪士看不出傷口有多深。

「芙蘿拉、芙蘿拉！」

她目光略顯呆滯，神色慌張。她臉頰上插了一小塊大理石。湯瑪士拔出碎石，用手撩開她的髮絲。

她突然搖頭，如夢初醒。「我還活著。」她說。「我還活著，我沒事。」她似乎是在自言自語，不是對他說話。

湯瑪士從口袋掏出一條手帕，壓在她脖子上。她還能說話，所以割傷不深。「壓好。」

「去，」芙蘿拉說。「去追他。」

湯瑪士脫掉大衣，捲成一團，抬起芙蘿拉的頭墊在下面。「安卓亞！見鬼了他人在哪裡？安卓亞！」

李奧娜突然出現，手持上刺刀的來福槍。她把來福槍放在地上，蹲在芙蘿拉身邊。

「陪著她，」湯瑪士說。「薇黛史雷芙縫合技巧最好。戰鬥結束後，叫她優先處理芙蘿拉的傷口。」

湯瑪士撿回另一把手槍，檢查房內的情況。尼克史勞斯從側門逃跑了。他看見榮寵法師跑過庭院，奔向前門。

「長官，」李奧娜說。「我們攻下官邸了，但庭院裡都是士兵。」

湯瑪士往槍管裡丟了顆子彈，然後塞棉花固定。「我不在乎。」他說。「我要殺一個人。」

坦尼爾委靡在粗製木樁上，掙扎耗盡了他僅存的力氣。

他努力掙脫束縛，可惜不管怎麼扭動都掙不開。他還能做什麼？他低頭觀察，看來掙脫了也沒用。五十呎外的地面上還有凱斯守衛，他這樣摔下去能活嗎？就算落地不死，凱斯兵難道不會了結他的殘軀嗎？

湯瑪士會怎麼從這種處境中脫身？那個老混蛋或許很刻薄，但也很聰明。

祖蘭看著他掙扎了整整一小時。她似乎覺得他這樣很有趣，眼中的瘋狂時隱時現。

「他為什麼這樣對妳？」坦尼爾問。

祖蘭又發出那種哽住的笑聲。「我每天都在問自己這個問題。」

坦尼爾認定她提供不了任何協助，她顯然和把她吊在這裡的神一樣瘋。他抬頭看向掛著自己的鉤子，然後轉向艾卓營地。即使在這種距離，沒有進入火藥狀態，他還是看得出來參謀總部聚在一起。凱斯營地也出現差不多的騷動，雙方都在準備協商。

克雷希米爾打算趁那個時候殺光他們嗎？

「克雷希米爾不想回來。」祖蘭說。

坦尼爾轉頭看她。

她瘋狂的神態消失了，眼神突然變得清明透澈。

「沒有我的召喚，他根本不會回來。」她繼續說。「他不在乎湯瑪士是不是殺害了曼豪奇，他不關心這個世界的凡人命運。」祖蘭咳嗽，吞嚥口水，殘破的臉突然看起來更加苦澀。「如果再多活個兩萬年，我絕不會再犯召喚克雷希米爾這種錯誤。」她渾身顫抖，腦袋向後仰，發出痛苦的呻吟。

坦尼爾別過頭不忍卒睹。純粹為了折磨而折磨，看來諸神也和普通人一樣小心眼。

他掃視艾卓營區，尋找熟面孔。距離太遠了，看不出個別的身影。

如今卡波肯定知道他出了什麼事。

如果她還活著的話。

坦尼爾伸展手臂拉扯繩索。他上升數吋，然後落下。掙扎一早上讓他精疲力竭。

「火藥法師，你在幹嘛？」祖蘭問。

「逃走。」他再度拉起自己。他又上升了一吋，或許兩吋。

「你辦不到。從這裡摔下去，你會摔斷腿。」

「或許我能慢慢扭下去。」

祖蘭嘶聲笑道：「他們會再把你吊回來。」

坦尼爾發現凱斯營地有動靜。不是什麼大騷動，他不確定是什麼吸引了自己的目光。他仔細查看。

一道小身影在士兵間穿梭。戴兜帽的人——有點像小孩，但坦尼爾認得那道身影，朝夕相處讓他認出對方舉手投足間的細節。

卡波！她來這裡幹什麼？她得離開，在被抓到之前離開營地。

完全沒人注意到她，士兵都在準備某種大規模的行動。她在數百碼外，正慢悠悠地在營地中漫步。

坦尼爾再度伸展。他把自己拉到臉幾乎能碰到鉤子的高度，渾身肌肉都在顫抖，瘀青的皮肉痛得令他想大叫。

坦尼爾再度落下，氣喘吁吁。「我要殺了克雷希米爾。」

卡波接近了，她抵達後打算怎麼做？她的魔法沒辦法幫他脫離木樁。

這個距離下，在兩軍之間的無人之境裡，坦尼爾看見一人走出艾卓營地。高大肥胖，戴白圍裙，是米哈理。

坦尼爾沒費多少力氣就找到站在凱斯陣線前方的克雷希米爾。神換了套乾淨的衣服，臉上還戴著面具，他也開始往戰場中央走。

坦尼爾撐起自己面對鉤子，一吋接著一吋，他用手指感覺。之前的掙扎弄鬆了繩索，或許沒有鬆到能讓手解套，但是……

坦尼爾雙手抓住鉤子，腳掌平貼木樁。他雙腿發力，腳趾像鉗子一樣固定住。固定好後，他往上一挺，用意志力在已經十分灼痛的大腿上擠出更多力量。只要再往上幾吋……

可以了！他沿著鉤子的弧度推動繩索，最後繩索終於離開鉤子。他感到一陣頭昏眼花，差點摔下木樁。他擺脫鉤子了！他隨時都可以從這麼高的地方跳下去。

他低頭一看，胃部一陣翻騰，跳下去似乎也不是什麼好主意。

他抓住鉤子，翻過身去面對木樁。

「你是個固執的混蛋。」祖蘭說。

坦尼爾沒理她。他開始慢慢往下，如同攀岩般讓手指和腳趾掐在木頭裡，渾身肌肉都在劇痛抗議，他的指甲不可能撐完全程。

他爬了幾呎，然後停下來喘氣。

「你真的辦得到？」祖蘭問。「殺克雷希米爾？」

坦尼爾又往下一呎。

「是那個野人，是嗎？見鬼了，她法力高強，她或許殺得了他。」

坦尼爾一言不發。又一呎，他辦得到。

他低頭看，木椿底下有四名守衛，全都沒發現他正在往下爬。他得爬到快接近地面，跳到其中一人身上，然後對付剩下三個——他的手還被綁著。卡波現在應該到了，她可以⋯⋯

她突然進到他的視線範圍內，以極快的速度接近其中一名守衛。守衛抬頭挺胸，說了句話，伸出一隻手。她揮出嬌小的拳頭擊中對方的喉嚨。守衛跪倒在地，喉嚨冒血。

又一呎。坦尼爾心跳加劇，他得持續移動。

「答應我一件事。」祖蘭說。

「快點、快點，我得快點。」坦尼爾自言自語。

「保證你會殺了我，用你射瞎克雷希米爾那種子彈朝我腦袋開槍。我撐不過那種傷，在現在這種虛弱的狀態下不能。喜歡的話，就當是復仇。」

坦尼爾往下看。卡波在和另外一名守衛角力，第三個人抓住了她的肩膀。

「答應我，坦尼爾！」

她哀求的語氣打動了坦尼爾。他停頓片刻，回頭看她。「我答應。」他說。

祖蘭發出刺耳的笑聲。

下方三名守衛撲倒卡波。坦尼爾深吸一口氣，閉上雙眼。

直墜而下。

44

湯瑪士跟著尼克史勞斯穿過官邸側門來到庭院。地面濕透了，外面下著滂沱大雨，才下午六點半，天色就已經開始暗下來。暴風雨即將來臨。

湯瑪士走出大門時，榮寵法師剛繞過通往官邸前的轉角，他連忙追了上去。

他抵達轉角處，隨即停下腳步。放眼望去，前庭約有五十到六十名士兵，他們躲在馬車和雕像後，和屋內的火藥法師互相開火。

尼克史勞斯跳上一輛行駛中的馬車，一手勾住扶手。湯瑪士聽見他在槍林彈雨中大喊大叫：「快走！」尼克史勞斯用手腕拍了拍馬車車頂，然後閃入車廂內。馬車駛過短短的車道，隨即奔向大街。

一顆子彈打掉湯瑪士頭上牆面一角。他縮頭，他們發現他了。

湯瑪士看著那些士兵，人太多了，就算處於巔峰狀態也解決不了。他大部分火藥都在擊穿石灰岩牆那一槍裡用掉了。他查看五十步外的花園圍牆，太高了。

此時轉角傳來騷動，他冒險偷看一眼。

一名凱斯士兵的火藥筒突然爆炸，將人炸成兩半。接著一個又一個，火藥紛紛爆炸，士兵嚇得拋下他們的火槍、火藥筒和火藥條，以免被波及。一定是芙蘿拉，只有她有能力點燃遠在大門口的火藥殺人。她肯定站在窗戶後，或找人指引她。盲目點燃火藥是很愚蠢的行為，對自己和同伴而言都一樣。

官邸正門突然開啟，安卓亞衝出門外，兩手都拿了上刺刀的來福槍，放聲吼叫，眼神瘋狂，帽子沒了，大衣在他身後飄揚。他撲向最近的凱斯士兵，冷酷無情地刺穿對方。

這是湯瑪士此刻最好的掩護了。

他拔足狂奔，穿越前庭，從凱斯士兵身後溜走。大部分凱斯兵都不理會他，目光集中在安卓亞身上。

湯瑪士接近柵門時，一名士兵轉過來，慌亂地把刺刀套上火槍頭。湯瑪士衝向那人，一腳踏上車道附近的石頭，躍入空中，同時踢碎對方下巴，直接掠過人奔出柵門。

街上也有凱斯士兵。

湯瑪士發現自己孤身一人面對二十幾名凱斯步兵。

他點燃了附近所有的火藥，以意志力操縱爆炸方向，但他向來不太擅長這麼做，震波將他擊倒在地。

湯瑪士半跪起身，然後站起來。他努力擺脫暈眩感，腳痛突然蓋過火藥狀態來襲，讓他只能一拐一拐地尋找尼克史勞斯的馬車。

地上到處都是屍體，幾乎所有士兵都當場死亡，只有少數幾個壓著殘肢在痛苦呻吟。滿地都是內臟和鮮血，那個景象——還有火藥和血腥味——都讓他想吐。

有了，在街道底端，尼克史勞斯的馬車沿著城內幹道往山區前進，消失在暴雨中。湯瑪士看見馬車夫瘋狂鞭打著馬，馬車前的人紛紛讓道。

湯瑪士剛想追過去，身體就一個踉蹌，幸好及時伸手扶住接雨的水桶才勉強站穩。他放慢速度繼續前進，努力紓緩頭部的劇痛。他感覺到有東西沿著臉頰流下，於是伸手去摸。臉上有血，感覺是從耳朵流出來的。

他現在不能停下，馬車離他越來越遠，要不了多久就會出城進入山區。尼克史勞斯又會再度逃走。

湯瑪士咬碎僅剩的一條火藥條，強迫自己繼續跑。

腳下的石板街道消失了。他讓火藥狀態完全掌控自己，感覺火藥在血管裡燃燒。商店和民宅迅速掠過身邊，他眼角湧出淚水，跑得比馬還要快，心跳聲在耳畔怦怦響。帽子被風吹飛了，大雨甩在臉上。

馬車比他更早一步抵達城市東緣。湯瑪士透過心眼看見那裡的地形，幾百碼斜坡的閱兵場，擠滿尼克史勞斯的手下和他們從城裡洗劫的財物，之後就是陡峭的高山。道路會進入山谷，隨著深入查勿派爾山越來越往上。

閱兵場上有數千名凱斯兵，湯瑪士得在尼克史勞斯上山前殺了他。他停下來喘氣，然後舉起手槍對準馬車。不，現在不行，街上太多戴利芙人了，他需要清楚的射擊視野。

湯瑪士接近城市外緣，大雨模糊了視線，馬車已不見蹤影，但他十分清楚尼克史勞斯的目的地，也十分清楚手槍火藥盤裡的火藥濕了。

大雨中，一群人擁了出來，吼叫聲突然蓋過雨聲。到處都是人，街道被堵得水泄不通。

湯瑪士過了一會兒才發現他們在打架。鬥毆？不，是在戰鬥，血淋淋的近身戰。所有人都身穿艾卓步兵的深藍外套，但他看得出是兩方對立人馬，其中有一方扯下了他們的白袖子，綁在右臂上。

湯瑪士抓起一個手臂沒綁白布的人。「凱斯人？」他用凱斯語問。

「對。」對方吃了一驚，迅速以凱斯語回應。

湯瑪士一劍刺穿那人，然後一腳踢開。他及時轉身擋下一把刺刀，出手的士兵有綁白布。對方正要再度出擊，卻立即停止動作。「戰地元帥！」

「歐蘭上校在哪裡？」湯瑪士問，暗自慶幸他的手下認得他。

「不知道，長官，他領頭衝鋒。」

「白布？」湯瑪士指了指士兵手臂上的衣袖。

「歐蘭上校的主意，長官，好弄清楚敵我。」

「很好。」

士兵隨即脫下外套，扯下上衣另外一條衣袖。「來，長官。」

湯瑪士讓他綁手臂。「謝謝。你收到的命令是什麼？」

「殺凱斯人。」士兵說。他舉起來福槍，大叫著衝了出去。

湯瑪士站在那裡，對眼前的混戰感到有些震驚。他沒聽見吹號或鼓聲，也沒看出凱斯士兵對於第七旅和第九旅殺進現場有感到任何驚慌。尼克史勞斯沒有斥候嗎？話說回來，這種大雨中，有誰看得清任何動靜？

儘管雙方激戰方酣，但始終沒人開槍。這天氣無法開槍。歐蘭肯定說服了其他將軍和上校，他們得直接衝鋒進攻。

這是指揮官的噩夢。閱兵場已經變成一片泥沼，雨勢大到湯瑪士只能看到二十呎內的範圍。尼克史勞斯的馬車肯定受到雨勢影響，車得沿車道行駛，不然就會陷入泥巴中。

湯瑪士開始沿著石板道小跑步前進。

四面八方都在激戰，大雨聲中三不五時會傳來慘叫、吶喊和兵刃交擊的聲響，石板地上都是雨水和鮮血。

他且戰且走，劍舉在身前，高舉右臂讓友軍看見他肩膀下的那條骯髒白布。他連推帶刺，還抽空給予第七旅的步兵鼓勵，然後繼續沿路尋找尼克史勞斯。

公爵的馬車會怎麼穿越這種混戰？他的馬車夫會拚命往前駛，輾壓兩旁士兵，急於逃離湯瑪士的狂怒？還是公爵為了甩掉他，會設法偽裝馬車以便逃回城裡？

湯瑪士瞥見渾身濕透的亞伯上校，一手拿著假牙，一手用騎兵劍對戰一名凱斯上尉。接著，一陣激烈大雨遮住了上校的身影。湯瑪士再度望去時，他們兩人都不見了。

湯瑪士架開一把刺刀，開啟第三眼，對抗隨之而來的暈眩感。暴雨中出現片片色彩，宛如在通風良好的房間裡，燭火正在舞動——那些都是激戰雙方的技能師士兵。

他回頭看向城內，那個方向也只有技能師，沒有榮寵法師，但有幾個勇衛法師。

雨越下越大了。閃電點亮夜空，讓湯瑪士短暫看穿暴雨，看清整座戰場。

士兵在閱兵場的泥沼中跋涉，靴子又黏又滑。一片藍制服海，濕淋淋又髒兮兮，湯瑪士懷疑白布有沒有辦法幫他們分辨敵友。他猜今晚會有數千人死在自己人的劍下。

閃電再度劈下，湯瑪士看見四、五十步外的路邊有動靜。一陣雷鳴隨之而來，他覺得自己胸口隨著雷鳴震動，他的第三眼讓他看見殘骸中有火光——不是真的火焰，而是艾爾斯中代表榮寵法師的魔光。

隨著他逐漸接近，剛剛看到的景象變成一輛馬車的殘骸。

看來是馬車夫轉向時，車輪打滑陷入濕軟的泥裡。馬車整個翻覆滑下溝堤，掉進兩呎深的水溝裡，車輪還在打轉。

步兵在馬車旁打鬥，彷彿完全沒注意到車的存在，儘管泥地裡有明顯的車轍滑痕，而馬車夫正在一旁努力釋放六匹發狂的馬。

湯瑪士矮身躲在十五步外的溝堤後，謹慎打量馬車。沒看到尼克史勞斯，不過湯瑪士的第三眼告訴他榮寵法師還在車裡。沒有勇衛法師。這是意外，還是陷阱？

湯瑪士上前，一手扶著泥濘的溝堤穩住身形，另一手握槍。火藥盤裡的火藥或許濕了，但槍管中的殘餘火藥還是乾的，他只要動念就能加以點燃。一槍，他只有一槍的機會。

他只需要一槍。

湯瑪士拉開馬車門彎身探看。尼克史勞斯躺在水溝裡，背靠著馬車一側。湯瑪士一手抓起榮寵法師的外套，把他拖到溝堤上。

「我要看著你死。」湯瑪士在雨中咆哮。他把手槍塞回腰帶，抓住尼克史勞斯的外套衣領。他要親手殺死對方，為了艾莉卡，為了薩邦，為了所有死在公爵手下的火藥法師。

湯瑪士眨了眨眼逼出眼中的雨水，把尼克史勞斯拎在身前。再一次，瞪著敵人的雙眼。

不對勁。

尼克史勞斯的頭轉成不自然的角度，雙眼無神地看向夜空，泥水自他嘴裡湧出。在湯瑪士夢中作祟超過十年的男人，這個殺死他妻子和最好的朋友、引發一場可能摧毀自己國家的戰爭的男人，摔斷脖子溺斃在水溝裡了。

湯瑪士放下屍體，重新開啟第三眼，確保自己沒有弄錯。艾爾斯裡已經看不見尼克史勞斯的魔光。

他後退幾步，在水中被絆倒，摔在對面溝堤上。尼克史勞斯死了，死於意外，就在湯瑪士抓到他的前一刻。

湯瑪士一拳打在泥巴裡。他用力踹向馬車車輪，踹斷幾根輪輻，還踢彎了固定車輪的鐵椿。

他倒在泥巴裡，跪在地上。

他往前倒入溺斃尼克史勞斯的水溝裡，雨水淹沒他雙眼。

他的子彈還在。

一時之間，他考慮對自己腦袋開槍。他失去了艾莉卡，失去了薩邦，失去了加瑞爾。如今他永遠無法為他們報仇了。他抓起手槍，發現那是坦尼爾送他的禮物。不，他沒有失去一切，他還有他兒子。

「拜託！拜託！救我！」

呼救聲發自湯瑪士背後。他低頭看見尼克史勞斯的屍體被暴雨的雨水沖走，很恰當的結局，就算不是湯瑪士親手造成的結局也一樣。

他爬出溝堤，剛好聽見對方再度呼救。

「拜託！我的匕首掉了！」

馬車夫在泥濘中掙扎，企圖割斷輓具，卻被驚慌失措的馬亂擠亂踢。看來他已經釋放大部分的馬，只剩下最後兩匹驚慌的動物。

一旁的部隊還在持續作戰。湯瑪士知道他得回到平地去找他的軍官，想辦法在混戰中凝聚戰力。尼克史勞斯死了，凱斯士兵很可能會四下逃竄。

一匹馬嘶吼著，湯瑪士再度聽見馬車夫苦苦哀求的聲音。

他翻越馬車，落在馬車夫身後。對方跪在地上，一邊閃避馬蹄，一邊在水裡摸索他的匕首。

「來。」湯瑪士說。他推開那人，拔出劍連砍兩下釋放兩匹馬。牠們翻身而起，立刻跑離水溝，遠離馬車。在牠們冷靜下來前絕對不可能抓回來了，而在這種情況下很可能會摔斷腿，但至少牠們脫身了。

湯瑪士轉向馬車夫。對方在他面前縮起身子，一臉恐懼地看著湯瑪士制服上的肩章。

「謝謝你，長官。」馬車夫說。

「去找最近的艾卓軍官向他投降。」湯瑪士拉了拉自己手臂上的白布。「想要活過今晚只有這條路。」

馬車夫低頭，雨水順著軍便帽沿流下。「長官，謝謝你，長官。公爵，他……」

「他死了。」

也許是因為黑暗和雨水的緣故，馬車夫的臉上似乎露出鬆了一口氣的表情。「長官，那火藥該怎麼辦？」

「火藥？」湯瑪士問。「什麼火藥？」

馬車夫臉上血色全無。「到處都是火藥！公爵打算殺光全城的人！」

湯瑪士轉向阿維玄。黑火藥！難怪他感應到那麼多黑火藥。尼克史勞斯肯定把火藥塞在每棟建築裡，等他一聲令下就全部點燃，只有這樣才能一夜之間摧毀一座城。

湯瑪士爬上溝堤，開始往來時的路跑。點火的八成是那些勇衛法師，就算那表示他們自己也會死。他不能指望哪個有良心的軍官會撤銷尼克史勞斯的命令。

要摧毀整個阿維玄，城內起碼有數萬磅的火藥。他們本來打算引爆火藥，然後在廢墟中屠殺倖存者。還有比這更適合栽贓艾卓的方法嗎？沒人會懷疑尼克史勞斯這種榮寵法師會用黑火藥。

湯瑪士根本來不及阻止。

第一場爆炸猛烈到天搖地動。一團火雲從市場區竄起，足足有四層樓高，震波擊垮了數百名士兵。

湯瑪士摔倒在地，膝蓋撞到石板，但他立刻起身，一瘸一拐地奔去查看城內情況，等待下一場爆炸。那團火消失得幾乎和出現時一樣快，不過湯瑪士仍能隱隱看見濃煙和蒸氣噴向夜空。

不可能只有這樣。他得趕回城裡，然後……

然後怎麼樣？阻止勇衛法師引爆火藥？這座城市很大，他根本不知道他們在哪裡。他可以去找藏火藥的地方，但勇衛法師肯定已經炸掉那些地方了。

又一場爆炸撼動全城，這次來自另一端。湯瑪士做好準備，儘管地面劇震，還是穩穩站著。

每場爆炸肯定都炸死數百人。他可以壓抑爆炸的威力，或引導爆炸的能量，但嘗試控制那麼多火藥就像在密封茶壺裡煮開水——他會被撕成碎片。

湯瑪士進入城內，穿越肉搏戰場，努力釋放感知。下一條街有軍火庫，他感覺得出來，足以炸平十個街區的火藥。

湯瑪士感應到軍火庫裡有火柴接觸到火藥，而他已經來不及阻止爆炸。壓力在湯瑪士心中聚集，爆炸自火藥向外噴發。

湯瑪士攫獲那些能量，準備導往別的方向。他釋放感知，探測其他火藥，確認自己要阻止多少能量。

幾條火藥條很容易，一根火藥筒不是問題，即使是一整桶火藥，湯瑪士都能加以引導。

但五十桶火藥同時爆炸。

湯瑪士攫取那股能量，直接導往地下。那感覺就像他把一百顆砲彈接在鞋子上，然後同時開砲。能量釋出，炸起泥土、碎石、大圓石，湯瑪士看見四周的士兵瞬間汽化前的震撼神情。

太多火藥了，他無法控制這麼多火藥。他的身體哀鳴扭曲，皮膚隨時要爆裂。

不到一下心跳的時間，一切就都結束了。湯瑪士感覺自己的意識逐漸消散，控制爆炸威力的意志也隨之而逝。

他辜負他的妻子，辜負他的士兵、兒子、阿維玄和艾卓的人民。

他辜負了所有人。

接著，世界變成一片黑暗。

坦尼爾直接落在一名守衛肩膀上。對方軟倒在地，替他吸收了部分墜落的力道，但坦尼爾的腳還是扭到了。他翻身滾開，痛苦地大叫，靠著木樁撐起自己。

剩下兩個守衛愣住了，雙眼圓睜，還在努力壓制卡波。

坦尼爾強迫自己站起來，用手腕上的繩子接下襲來的槍柄。他一腳踢中一名守衛膝蓋側面，然後被綑在一起的雙手甩向另一名守衛的臉。

卡波在打鬥中抖落兜帽，露出瘋狂的眼神和凌亂的短紅髮。她昂起下巴讓坦尼爾確認，確認完畢後，她便甩開長針上的血滴，拔出腰帶匕首，上前去割坦尼爾的繩子。

「妳不該來的。」坦尼爾說。

她割斷繩索，塞了根火藥筒到他手裡。他咬掉塞子，將火藥倒入口中，舌頭上傳來硫磺味，在齒間滋啦作響。他吃得太快，差點噎住，但還是強迫自己吞下一口黑火藥。

他瞬間進入火藥狀態，身體暖了起來，肌肉緊繃，傷口和瘀青的疼痛也都消退到內心深處。

卡波迅速用匕首收拾了四名守衛。她站起來，輕哼一聲，擦拭匕首上的鮮血。

坦尼爾左顧右盼。儘管營地混亂，還是有很多士兵注意到他們的衝突。有個軍官率領一隊人馬奔來，指著他們大聲喊人支援。

坦尼爾揉了揉手腕。他和卡波位於凱斯部隊中心，完全孤立無援，沒人會來救他們。他得殺掉十萬人才有可能逃出去。

「波。」他半跪下，撿起一名守衛的火槍，一臉疼痛。全世界的火藥加在一起也沒辦法完全壓下他此刻的痛楚。「我不認為我們逃得出去。」

卡波看了看凱斯部隊，宛如在閱兵的將軍。

坦尼爾掂掂火槍，很廉價的款式，和他慣用的赫魯斯奇來福槍完全不能比。他從守衛的裝備裡拿出刺刀裝好。只能這樣了。凱斯軍要來了——五十人，或許更多。一旦開打，其他凱斯軍就會注意到這裡。

「波，」他說。「我愛妳。」

卡波伸手摸了摸心口，然後指他。她把袋子扔在面前。落地時，袋口開啟，她高舉手掌。她的娃娃開始飄出袋口，坦尼爾想起克雷辛克佳之役中她所展現的力量。

「這次可不夠，波。」

娃娃越來越多，十個、五十個、一百個、一千個。

難以計數的娃娃浮出袋口，環繞著他們飄浮在空中。

凱斯士兵停在二十步外，困惑地看著她的魔法。

一名凱斯上尉舉起手。「上膛！」

坦尼爾一個動念，點燃了他們的火藥。火槍粉碎，火藥筒爆炸，空氣中瀰漫著火藥燃燒的氣味和慘叫聲。

「火藥法師！」有人喊道。周遭的人都跟著叫，士兵拋下火槍，手忙腳亂地拔出劍和匕首。

更多人跑過來。一開始只是三三兩兩的人，接著成群結隊。坦尼爾抓起火槍槍管，準備作戰。

最初他只是從眼角餘光看見一點不太對勁的動靜。一名凱斯兵停在營地中間，刺刀插入身旁夥伴的脖子裡。該名士兵似乎不明白自己幹了什麼，接著又轉身以火槍槍柄打落其他凱斯步兵的牙齒。

另一名士兵突然把火藥筒拿到火槍前，扣下扳機，把自己和旁邊三個人炸成碎片。

有人開始大打出手，隨著他們自相殘殺，衝向坦尼爾和卡波的士兵開始減少。

卡波起身站穩雙腳，盯著娃娃，彷彿在檢視棋盤。在她四周，娃娃開始自己動了起來，有些在相互扭打，有些跌跌撞撞刺向陰影。坦尼爾感受到強烈的恐懼。她在控制一整支部隊，同時控制數千人！

一個不受控制的凱斯步兵衝向坦尼爾。

坦尼爾架開刺刀，刺穿對方的眼珠。

「我們該走了。」他對波說。「妳沒辦法永遠阻擋下去。」

卡波抓住他的衣袖，一手比畫著手槍，指向她的娃娃。

「妳要我射他們？」

坦尼爾將火槍槍柄抵在地上，迅速裝填彈藥，槍抵上肩窩。他看向卡波確認。

她揮手要他快點。

坦尼爾瞄準她的娃娃，扣下扳機。

上午的天空中傳來宛如雷鳴般的巨響，凱斯兵紛紛尋求掩護。附近一個士兵突然像被砲彈擊中般血肉模糊地飛濺在帳篷上，坦尼爾聽見驚恐的叫聲，有人喊道：「是砲擊！」

卡波仰頭無聲大笑。

「太病態了。」坦尼爾說，抓住她的手。「我們走。」

他們衝過凱斯營地，奔向瑟可夫谷東側的山區。卡波的娃娃跟著他們一起飄，和陰影作戰。他們抵達凱斯營地外緣開始往山上爬時，娃娃的數量已經減少很多了。

卡波爬到氣喘吁吁。坦尼爾回頭查看，後面沒人，但要不了多久凱斯士兵就會追上來了。他拉住卡波的手臂，感覺她癱軟在地，雙眼突然顯露疲憊。坦尼爾把火槍掛在肩上，抱起卡波繼續往前跑。

山丘越來越陡，坦尼爾很快就發現他多數時間比較像在攀爬，而不是奔跑。他不得已，只得把卡波放在一塊大岩石上，停下來休息，轉身看向山谷。

沒人追過來。

整個凱斯營地陷入混亂，都在自相殘殺。一個法力不強的榮寵法師驚慌施法，勇衛法師企圖透過除掉反叛部隊的「罪魁禍首」來恢復秩序——結果只有亂上加亂。

全都是因為卡波的娃娃。

坦尼爾打開火藥筒，在手背上倒了一些火藥迅速吸入。他們或許已經沒有迫切的危機，但凱斯還是可能派遣步兵甚至是騎兵來追他們。如果他們來了，他和波就逃不掉。他感覺到疲憊如影隨形，彷彿圍在傷鹿旁的狼群。火藥狀態的火焰很快就會熄滅，再多燃料都沒辦法繼續燃燒，到時候他就會變成廢物。

他和卡波得從最陡的碎石路往北前進三哩才能回到艾卓營地。然後還得應付叛徒西蘭斯卡。

前線附近的騷動情況似乎最為和緩，許多凱斯士兵正盯著在雙方營區之間交談的克雷希米爾和米哈理。兩神面對面，相距不到一呎。坦尼爾很想讀出他們的唇語。他們倆似乎都沒注意到或不在乎凱斯營地的騷動。

米哈理伸手，輕輕碰觸克雷希米爾的肩膀。

克雷希米爾把他的手抖開。

米哈理攤開雙手，要他冷靜。克雷希米爾抬手，指向天空，大聲說話。

米哈理繼續講話。他嘴唇輕動，表情寧靜。

米哈理說了好幾分鐘。坦尼爾很驚訝地發現克雷希米爾似乎真的有在聽。神慢慢放下手。

營地裡騷亂繼續延燒。卡波的飄浮娃娃只剩下幾十個，她坐起來，形容憔悴，但嘴角揚起勝利的笑容。她的注意力似乎集中在最後幾個娃娃上，而它們消失的速度沒有之前那些那麼快。她努力讓最後幾個傀儡撐下去。

坦尼爾看著兩神——克雷希米爾和米哈理，慢慢接近彼此。米哈理指著自己手掌，彷彿在解釋什麼。克雷希米爾聽著，眉頭深鎖。

米哈理似乎解釋完了。

克雷希米爾毫不遲疑地搖頭。

米哈理皺眉。他張開雙臂，臉上流露悲傷的笑容。

坦尼爾突然覺得自己心跳加速。他槍抵肩窩，瞄準克雷希米爾。兩哩的距離對他而言不遠，但槍裡裝的是普通子彈，也不可能立即射中克雷希米爾。坦尼爾能做的只有轉移對方的注意。

克雷希米爾突然打開雙手。一時之間，他看起來像要擁抱弟弟。

克雷希米爾綻放出如同一千顆太陽般強烈的光芒，坦尼爾雙手掩面，往後摔倒。他渾身緊繃，等著應付震波和震耳欲聾的爆炸聲。

然而，兩樣都沒有發生。

那道光耀眼到就算遮住臉，坦尼爾還是覺得自己在盯著太陽核心看。

一隻手掌輕撫著他。他伸手握住卡波的手。她看見了什麼？有什麼可看嗎？她肯定和自己一樣無法視物。他把卡波拉到身邊，抱在胸口，在強光下保護她的眼睛。

親愛的諸神啊，這是什麼魔法？

在一段近乎永恆的時間過去之後，坦尼爾感覺到強光開始消退。他張開眼睛，什麼都看不見，心中湧現恐懼。他瞎了嗎？

過了約二十分鐘後，他才勉強能看到一些輪廓。他迅速眨了眨眼，試圖驅散一片一片色彩，試圖弄清楚自己剛剛看了什麼。那道強光——猛烈耀眼，卻沒有高溫或聲響。不是爆炸。

坦尼爾回想關於榮寵法師魔法的知識。克雷希米爾做了什麼？

慢慢地，他明白了。

克雷希米爾是在開啟門戶，讓艾爾斯進入這個世界。

坦尼爾逐漸恢復的視力為他帶來了凱斯和艾卓營區雙雙陷入混亂的景象。看來沒有人能看得見東西，幾十萬人趴在地上，痛哭慘叫。

戰場中央，兩個營區之間，只剩下克雷希米爾一個神。米哈理已經徹底消失。他剛剛所在之處連點骨灰都沒留下。克雷希米爾張著嘴，臉上凝固著無聲的尖叫。

坦尼爾看著克雷希米爾垂下肩膀，茫然地望著米哈理剛剛所在之處，然後神跪倒在地，開始哭泣。

坦尼爾靠著山壁坐倒，疲憊不堪，渾身無處不痛。一段寂靜過後，他低頭看著沾滿鮮血和嘔吐物的上衣，他耳中傳來鼓動聲，雙手激動得發抖。

「波，」他說。「我衣服上有克雷希米爾的血。」

阿達瑪的目光始終無法從克雷蒙提的身上移開，直到他演講完畢。他完美地操弄了人群的情緒。沒有人歡呼或吼叫——不，就連克雷蒙提也不會期待那些反應。

有人輕聲埋怨，表達不滿。阿達瑪附近有人對他旁邊的女人說，克雷蒙提講得很有道理。群眾之中激起一陣憤憤不平的聲浪，阿達瑪知道克雷蒙提說服他們了。或許不是所有人都被說服，但在克雷蒙提的榮寵法師摧毀克雷辛大教堂時，出聲抗議的人很快就閉嘴了。

艾德河沿岸，布魯丹尼亞士兵紛紛將小船推到岸邊並上岸。粗略一看，他們似乎每十五人一組，每組都有一名榮寵法師。他們都佩戴了上刺刀的火槍和黑火藥桶。阿達瑪看見第一組人抵達艾德河對岸的一座教堂，開始驅散人群。

他們要炸掉教堂。

要不是阿達瑪恐懼至極，他或許會深感佩服。克雷蒙提帶著援軍和補給跑來，發表高明的參選演說，然後開始摧毀艾卓境內的宗教建築。他把人民的恐懼——擔憂布魯丹尼亞入侵首都的恐懼——都轉移了。在發現克雷蒙提不打算洗劫這座他有能力隨意掠奪的城市後，所有人都鬆了一大口氣。

阿達瑪並不是一個信仰虔誠的人，但他很想衝向最近的教堂，阻止在摧毀它的士兵。那些都是歷史象徵，有些教堂甚至是千年古蹟！他有預感任何阻止士兵的行為都會讓他送命。

不到四十步外，克雷蒙提的小船被人推上岸。理卡快步迎上去，他的助手和保鏢緊張兮兮地跟著。阿達瑪大聲叫他停下。

一名水手扶著克雷蒙提踏上泥地，然後上岸，來到街上。

阿達瑪從理卡肩膀的狀態就能看出他打算做一件很愚蠢的事。

「飛兒，抓住他！」

太遲了。理卡舉起拳頭，一拳打中克雷蒙提的鼻子，讓他像袋馬鈴薯般倒地。

布魯丹尼亞士兵衝上前來，克雷蒙提的法師揚起戴手套的手，手指集中，彷彿準備彈指。阿達瑪心臟跳到喉嚨。

「住手！」克雷蒙提爬起身來，伸手安撫榮寵法師。「沒必要暴力相向。」他說著，用兩根手指捏住鼻子。

「你他媽以為自己在幹什麼？」理卡問，抬起手一副還要再打的模樣。

「幹什麼？」克雷蒙提昂首，防止鼻血流下來。「我要參選艾卓第一行政官。我想你就是理卡·譚伯勒？」

「對。」理卡冷冷說道。

克雷蒙提伸出一手。「克雷蒙提，很高興認識你。」

「你高興，」理卡說。「我不高興。」

「好吧，那太可惜了。」克雷蒙提收回手。「我還以為我們是朋友呢！」

「你怎麼會有這種誤會？」

「因為，」克雷蒙提說。「你帶了城裡半數人出來迎接我，並聽了我的演講，這是朋友才會做的事。」克雷蒙提一側的笑容微微下垂，雖然幅度很小，但現在看起來更像是一種嘲笑。他的目光掃過理卡、飛兒，還有其他工會領袖，最後停在阿達瑪身上。他嘴角再次上揚，開懷大笑。

「真的，」他說，依然面對理卡。「我得感謝你。現在請容我告退，我還有場選戰要打。」

湯瑪士在努力恢復意識的過程中，感受到了熟悉的馬車震動和搖晃。

這讓他一陣恐慌。他被人帶去哪裡？誰在駕馬車？他的士兵在哪裡？

關於阿維玄城外的戰鬥、找到尼克史勞斯的屍體，以及試圖阻止數千磅火藥爆炸的記憶一下子湧上湯瑪士心頭。

他仰躺著，睜開眼睛時，看到了馬車頂篷。外面有陽光，所以他肯定已經昏迷一陣子了。空氣寒冷稀薄，神智不清的湯瑪士再度感到一陣恐懼。冬天了？他昏迷好幾個月了嗎？

他手臂不聽使喚。在壓下更多恐慌後，他終於肯定他的手能動，只是被綁住了，光要翻身都很困難。他被凱斯俘虜了嗎？

他看見的第一個人，是一張意料之外的面孔。

對方是個黑皮膚的戴利芙人，鬈曲的黑短髮緊貼頭皮。他身穿鮮綠色戴利芙軍服，沒有肩章或徽章。對方湊到湯瑪士身前，若有所思地打量他。

「很好，你醒了，醫生一開始認為你永遠不會醒來了。我們已經快到達山頂。」

湯瑪士再度閉上眼。或許他腦袋糊塗到聽不清楚了，戴利芙人士說的是「山頂」嗎？

「你他媽的是誰？」湯瑪士問。那張臉似乎來自遙遠的記憶，彷彿童年曾在壁爐架上的畫像或雕像見過的人。是薩邦的親戚？不，他看起來不像薩邦。

戴利芙人低頭。「我是戴利芙。」

「我是問你是誰，不是你從哪裡來，天殺的蠢蛋！」湯瑪士的腦袋在顱內劇烈跳動，彷彿有支部隊在裡面行軍。他伸展手指，試探束縛——等等，沒有繩子，那他為什麼不能動？他抬頭往下看，只見有條毯子緊緊裹住他胸口。

湯瑪士扭動幾下，伸出手臂。他推開毯子坐起身。

他身穿他的備用軍裝——至少，他認為是他的備用軍裝。這套不是在阿維玄之役弄髒的那套。

馬車突然停下，湯瑪士倒向一邊。戴利芙人伸手扶他，被湯瑪士揮開。

「你說山頂是什麼意思？」他問。

馬車門開啟，歐蘭站在車外。他立正站好，看到湯瑪士時面露微笑。

「長官！很高興你醒了。你的頭怎麼樣？」

湯瑪士鬆了口氣。看來他還和自己的部隊在一起，而歐蘭身上還有武裝。他看了戴利芙人一眼，走出車外。

「感覺像被人從黑刺監獄頂丟下去，然後臉著地。」湯瑪士說。

他左顧右盼，發現他們在山上。好吧，這解釋了「山頂」是怎麼回事。

「我們通過阿維玄守山人據點了嗎？」

「我們經過第一座守山人哨所，長官。」歐蘭指向山道。「阿維玄守山人據點在前面。我們會在那裡過夜，然後繼續行軍。」

湯瑪士覺得情緒如同颮大風時的浪頭一般，在他心裡起伏不定。他雙腳本就無力，聽見自己已回到艾卓國土的消息差點讓他跌倒。他推開歐蘭的手，開始沿著山道走。他在腦中計算，在這個季節，山道應該都還暢通，也是乾的，他們可以下山回到艾卓平原，然後趕往瑟可夫谷。加快行軍的話，他們可以在一週半內回去守衛國家。

「長官，你該繼續休息。」

「我走路不是問題。」湯瑪士反駁，雖然他的腳很痛，腦袋也昏昏沉沉。前方阿維玄守山人據點看起來高大壯觀，據點大門開啟，守山人對著上山的士兵歡呼。「新鮮空氣對我有好處。現在回報，我昏迷多久了？」

「兩天，長官。」

「戰役？」

「戰況——」歐蘭遲疑。「還算不錯。」

「我們的損失如何？」

歐蘭從袖口抽出一根菸塞進嘴裡，沒有點燃。「第七旅和第九旅只剩不到兩千人還能戰。」

「就這樣？」湯瑪士停步，轉向歐蘭。他回頭看向山道，發現他們的補給車隊已經延伸到視線範圍外。那是怎麼回事？他們北上時根本沒有補給車隊。

「加瑞爾？」

「被戴瑪索林救出來了。」

湯瑪士鬆了一大口氣。「我的火藥法師呢？」

「薇黛史雷芙肚子中了刺刀，我們不確定她撐不撐得過。李奧娜在保護芙蘿拉時死在勇衛法師手下。」

「芙蘿拉呢？」湯瑪士心臟差點停了。

「她受傷了，但會好起來。」

湯瑪士靠在歐蘭身上。他過了好一陣子才恢復冷靜，重新站好。

他注意到馬車上的老男人還跟著他們。

「我們區區兩千人要怎麼扭轉艾卓境內的戰局？」湯瑪士問。他朝老戴利芙人側了側頭，難以壓抑不悅的語氣問：「這傢伙又是誰？」

歐蘭取下嘴裡的菸，在手指間轉動。「請原諒我們的戰地元帥，」他對老戴利芙人說。「他腦袋不太清楚。」

戴利芙人似乎饒富興味。「我希望在遇上凱斯軍之前，他能把腦袋弄清楚了。」他低下頭。「我是戴利芙，」他說。「但你可以叫我蘇蘭九世。」

蘇蘭九……

「喔，陛下。」湯瑪士低頭，阻止自己跪倒行禮的衝動。他口乾舌燥。他是蘇蘭九世，戴利芙之王，而湯瑪士在馬車裡罵他是天殺的蠢蛋。「我沒有冒犯的意思，我不知道……」

「沒有冒犯，戰地元帥。」國王揚起一邊眉毛，看向地面，彷彿期待湯瑪士下跪，但沒有進一步要求他那麼做。

湯瑪士不知道該說些什麼。國王對戰況瞭解多少？為什麼會在這裡和他們及新的補給車隊一起行軍？

「很抱歉，陛下，」湯瑪士說。「但我不清楚當前情況。我不確定我昏迷的這段時間出了什麼事。」

國王雙手負於身後。「上校，」他對歐蘭說。「你介意由我代替你回報嗎？」

「完全不介意，陛下。」

「走吧？」國王說著，伸手指了指上方的要塞。

「好。」湯瑪士說。

他們繼續沿著山道往上走，經過湯瑪士殘存的騎兵，歐蘭跟在幾呎之後。

戴利芙國王說：「先讓我告訴你我們國家的情況，然後你再去和歐蘭上校把話說完。我本來以為會在阿維玄對上一支艾卓軍，結果卻發現有兩支。你和尼克史勞斯公爵大戰的隔天，我軍和你們產生了一些誤會，但在我的將領與歐蘭上校和亞伯上校討論過後，所有誤會都解開了。」蘇蘭停頓片刻。

「阿維玄的事，我很遺憾，陛下。」湯瑪士說。

「遺憾？為什麼？你拯救了一座戴利芙城市，湯瑪士，我欠你一個大人情。」

「那些火藥？」

「你和你的火藥法師在情況一發不可收拾前阻止了爆炸。當然有人傷亡，但城市存活下來，而我對此十分感激。」

「我看到——」湯瑪士回頭看向補給車隊。「你提供我們回程所需的補給品，我非常感謝。」

蘇蘭眼睛一亮。老國王在離開馬車後首度露出微笑。「補給品，還有別的。」他說。

「別的？」

「戰地元帥，」蘇蘭說。「這是部隊的先鋒。我們要帶五萬大軍翻山越嶺。本來可以有更多兵力的，不過我派遣大部分軍隊從大北道進入凱斯。我的部隊供你差遣，我打算支持你打完這場仗。尼克史勞斯和伊派爾的背叛可不是兄弟之邦的國王應有的舉動。」蘇蘭笑容消失，聲音中透出一絲危險的意味。「你把曼豪奇送上了斷頭台，我並不認同那種做法，但伊派爾是直接攻擊我的子民。」

五萬名戴利芙士兵！湯瑪士知道，那會讓凱斯措手不及。湯瑪士的心差點飛起來。這足以扭轉戰局，如今艾卓終於擁有勝算，他們有盟友了。

數週來第一次他步伐變得輕快，用胸口放下一塊大石的心情下迎向阿維玄守山人據點。

守山人堡壘圍牆上傳來騷動，一名騎兵突然以極快的速度衝出大門。信差看見湯瑪士連忙拉扯韁繩，在激起的碎石中勒馬。對方跳下馬背。

「長官。」他說。騎兵臉頰漲得通紅，因為在寒冷的高山上高速奔馳而被凍傷，手在敬禮時顫抖。

「呼吸，士兵。」湯瑪士說。

「長官，」信差氣喘吁吁。「東邊山區哨所傳來消息。艾鐸佩斯特，長官，城裡在燃燒。」

尾聲

榮寵法師包貝德站在艾卓郊區一棟不大不小的房屋門口台階上，回想自己上次找人幫忙是什麼時候的事情。大部分的榮寵法師都不習慣去找人幫忙。他們要不是事必躬親，不然就是命令其他人代勞。

一場爆炸撼動夜空，令包皺起眉頭。

又一座教堂。

那些布魯丹尼亞混蛋在全城各地爆破宗教建築。他們把牧師拖到街上當眾打死，而艾卓人民就這麼袖手旁觀，任由一切發生。他們恐懼戰爭，慶幸布魯丹尼亞人沒有洗劫城市，因此完全不想阻止他們。

有些人甚至加入他們。

包不太喜歡克雷辛教會，但他討厭袖手旁觀外國勢力摧毀城內的文化象徵。他們摧毀克雷辛大教堂時，他混在人群中觀看。他聽了克雷蒙提的演說，看了貿易公司的軍隊上岸，沒有遇到任何理應保護城市的人民抵抗。

城裡有貿易公司的榮寵法師令包感到緊張。自從他們出現後，他每天都花很多時間在躲他們。要是被找到，最好的情況，他們會認定他不再效忠艾卓，強迫他加入。最糟的情況，他們會把他視為有待解決的問題，並對他進行全面性的追捕。

包本來可以在他們抵達當天就全力攻擊他們，擊沉幾艘船，或甚至去殺了那個克雷蒙提，然後被布魯丹尼亞的榮寵法師解決掉。但他已經不在乎其他人的聖戰了，如今的他有自己的問題要解決。

他有個朋友兼兄弟要救。

屋內傳來小孩的笑聲。他差點停止動作。差點。

包敲門。笑聲止歇。

「待著，孩子們。」一個聲音緊張兮兮地吩咐孩子們。有人走向前廳，地板嘎吱作響。包的第三眼告訴他來人就是他要找的技能師。他感覺得到有人透過窺視孔看他，然後扭轉門閂。門推開一條縫。

「榮寵法師包貝德。」阿達瑪說。

包點頭。「阿達瑪調查員。」

阿達瑪打量街道，微微瞪大眼睛，彷彿在搜尋陷阱。「我怎麼有幸讓你大駕光臨？我以為我再也不會見到你。」

「我有帶禮物。」包說著，指向手臂下夾著包裝好的禮物。「我可以進屋嗎？」

阿達瑪又檢查街道一輪。他臉上表情相互衝突，看來他最近精神緊繃。包能理解。再說，沒人會想邀請榮寵法師進屋。

「親愛的，」一個女人的聲音傳來。「是誰？」

「榮寵法師包貝德。」

門完全打開，包看見菲站在門廳。她氣色比在維塔斯總部那天好多了。她有好好睡覺，儘管從她泛紅的眼角看來，她最近應該有哭過，但她掩飾得很好。

「榮寵法師，」菲說。「請進。」

包進屋，將帶來的禮物放在客廳。「請叫我包。」他說。「我帶了禮物來送給妳的家人。」

「你不該這麼客氣。」菲笑容親切地表示。

阿達瑪似乎不太高興他送禮物。他神色謹慎，看起來並不信任包。包也不能為此責備他。

「你有感受到嗎？」包問。

阿達瑪似乎有點驚訝。「感受到什麼？」

「難以解釋的震撼。」包說。「像是獨自一人在房裡，然後被一杯冰水潑了一臉。」

阿達瑪緩緩搖頭。「我不懂你的意思。」

包認為這很奇怪，技能師竟然不能感受到神的死亡。米哈理——亞頓轉世——六天前慘遭殺害。不過和坦尼爾射中克雷希米爾眼睛時不同，這次感覺比較……永久。

「沒什麼。」包說。「沒必要擔心那個。」

「我們正要開始晚餐。」菲說，警告地瞪了丈夫一眼。「你願意一起用餐嗎？」

「謝謝，但不行。我想找妳丈夫私下聊聊。」

阿達瑪清了清喉嚨。「你想說的話，菲都可以聽。」他說。

包一眼就看出菲不會離開房間。看來是沒希望各個擊破了。他懷疑是不是該帶妮拉和雅各一起進來。包請他們在馬車裡等，但如今他認為他們在場的話，阿達瑪可能會比較自在。他還是不確定自己要如何處置那個女孩。她是個榮寵法師，而且是不必戴手套的榮寵法師。包不認為她瞭解這是多重大的事實。九國裡沒有任何榮寵法師可以不戴手套接觸艾爾斯，就連普戴伊人也辦不到。

只有所謂的神辦得到。

「我需要你的幫忙。」包說。

「我現在不工作。」阿達瑪說完，看了妻子一眼。「過去幾個月來，我的家人歷經了超越任何家庭該經歷的風浪。我不會再為任何事情離開他們。」

菲瞇眼看包，親切好客的態度突然消失了。包覺得房裡的暖意好像都被吸乾。

「兩件事，」包伸出他的手。他沒有戴手套，他不想讓阿達瑪覺得自己被威脅。「首先，我需要妳，菲，幫忙照顧雅各・艾達明斯一段時間。」

「那孩子還活著？」菲問。

「其次，」包繼續說。「我需要阿達瑪幫我營救我最好的朋友——我唯一的朋友。我有證據證實凱特將軍和她妹妹在出售軍用物資中飽私囊。我需要你、歐里奇中士，還有歐里奇的部下和我去逮捕凱特將軍，釋放雙槍坦尼爾。」

整件事都令包緊張。自從坦尼爾被軍法審判以來，他就再也沒有收到來自前線的消息。坦尼爾有可能被關在牢裡，也可能已經被吊死。包咒罵自己沒有盡快行動，但他得先找到證據才能出手。他應該在一週前找到凱特涉案證據時就趕往前線，不過除了死去貴族的帳本，他還必須蒐集更多證據。

「戰時逮捕參謀總部的將軍？」阿達瑪語氣嘲弄。「那是自殺。不，我不幹。我說過了，我要保護我的家人，我現在不工作。」

「拜託，」菲說，她的下巴僵硬。「我們要回去和家人用餐了。」

包沒理會他們。有時候他討厭自己得採取某些手段。比方殺人、說謊、偷竊，還有操弄他人。「只要你幫我，阿達瑪，我就答應幫你做一件事。」

「我有什麼事……」

「一件事！」包說，豎起一根手指。「你可以要求艾卓皇家法師團最後一名法師做任何事。」

菲皺眉。包看出她在考慮。

「不幹。」阿達瑪說。「我不認為——」

「親愛的，」菲拉拉阿達瑪的手。

包深吸一口氣。「一件事。」他又說。「隨便什麼事。就算是要我一路殺入凱斯，找回你失蹤的兒子也成。」

他們會有異議，會爭吵，有可能會多找幾個藉口，但包從他們眼中看得出來，自己已經征服他們了。

《火藥法師2 緋紅戰爭》完

致謝

感謝我超棒的經紀人凱特琳·布拉斯戴爾。她提供編輯建議並願意在我對書出現疑慮時和我耐心討論。當然還要感謝她幫我賣出這本書。感謝我的編輯黛薇·皮賴，她對我抱持足夠的耐性和信心，讓我以自己的步調撰寫此書，並持續推延最後期限，讓我把成品修改到滿意為止。

我的妻子蜜雪兒在整個創作期間都非常支持我。她向來是我第一個靈感來源兼編輯，少了蜜雪兒的認可，沒有任何內容會出現在凱特琳和黛薇面前。

感謝我父母，他們一直以來都很支持我寫作，撰寫這本書時也不例外。我爸是第一個在這本書上蓋下通過章的「粉絲」，幾乎一個下午就把最終版本看完了。

感謝幫《血之諾言》繪製地圖和插畫的以撒·史都華。他不但幫《緋紅戰爭》畫了另一份地圖，還根據故事描述更新之前的圖像。

感謝歐比圖書（Orbit Books）所有超棒的朋友支持第一集和第二集：蘇珊·伯恩斯、蘿倫·潘品托、艾利斯·藍席奇、蘿拉·費茲傑羅、艾倫·萊特，還有其他人。要不是他們在編輯、繪圖、行銷方面魔力強大，這兩本書不會如此成功。

感謝伊森·金尼，他用一堆關於火藥法師世界的可惡問題強迫我以不同的角度考慮很多事。

當然，感謝一路走來始終支持我的朋友和家人，特別是一直聽我回報進度並提供新作者絕佳建議的桑尼·莫頓。

火藥法師

中英文名詞對照表

A

Abrax 阿布拉克斯

Ad River 艾德河

Adamat 阿達瑪

Addown River 艾頓河

Adom 亞頓

Adopest 艾鐸佩斯特

Adro 艾卓

Adsea 艾德海

Alvation 阿維玄

Amber Expanse 琥珀平原

Andriya 安卓亞

Arbor 亞伯

Archives 檔案處

Astrit 艾絲翠

B

Beon je Ipille 畢昂・傑・伊派爾

Bertthur 伯索

bicorne hat 雙角帽

Big Finger 大拇指河

Bone Eye 骨眼法師

Borbador 包貝德

Brigadier 旅長

Brudania 布魯丹尼亞

Brudania-Gurla Trading Company 布魯丹尼亞—葛拉貿易公司

Budwiel 巴德威爾

C

Camenir 坎門奈

Carbine 卡賓槍

Cave Lion 洞穴獅

Cethal 瑟索

Charwood Pass 查勿山道

Charwood Pile 查勿派爾

Claremonte 克雷蒙提

Colonel Etan 伊坦上校

Cuirassier 胸甲騎兵

D

Deliv 戴利芙

Demasolin 戴瑪索林

demon's carbuncle 惡魔紅玉

Diocel 主教

Doles 道爾斯

Doravir 朵拉維

Dourford 道佛德

Dowsers 探測員

Dragoon 重裝騎兵

Dredger 挖泥隊

Drovian 卓維恩手銬

E

Eldaminse 艾達明斯

Elections Square 選舉廣場

Else 艾爾斯

Erika 艾莉卡

Eunuch 閹人

F

Fanish 芳妮緒

Fatrasta 法特拉斯塔

Faye 菲

Fell Baker 飛兒・貝克

Ferhulia 佛胡莉雅

Field Marshal 戰地元帥

Fingers of Kresimir 克雷希米爾手指

First Minister 第一行政官

Flaming Cuttlefish 火烏賊

Fontain Academy 芳騰學院

G

Galhof 加爾霍夫

Gavril 加瑞爾

General Staff 參謀總部

Goutlit 高利特

Great Northern Road 大北道

Gurla 葛拉

H

Hailona / Halley 海隆娜／海莉

High Talien 高塔里安區

Hilanska 西蘭斯卡

Hrusch 赫魯斯奇

Hrusch Avenue 赫魯斯奇大道

Hune Dora Forest 胡恩朵拉森林

I

Indier 英迪兒

Inel 英奈爾

Interlocking windmill 結風車陣形

Ipille 伊派爾

J

Jakob Eldaminse 雅各・艾達明斯

Josep 喬瑟

Julene 祖蘭

K

Ka-poel 卡波

Ket 凱特

Kez 凱斯

King Sulem 蘇蘭王

Knacked 技能師

Krana 克倫納

Kresim Church 克雷辛教會

Kresim Kurga 克雷辛克佳

Kresimir 克雷希米爾

L

Leone 李奧娜

Lord Vetas 維塔斯閣下

M

Mala 瑪拉

Manhouch 曼豪奇

Marked 標記師

Mernoble 莫諾伯

Midway Keep 中途堡

Mihali 米哈理

Millertown 米勒鎮

Ministerial Election Committee 競選委員會

Mountainwatch 守山人

N

Nafolk 納佛克

Nikslaus 尼克史勞斯

Nila 妮拉

Noble Warriors of Labor 高貴勞工戰士工會

Norpoint 諾彭

North Umpshire 北昂夏爾

Northern Expanse 北方高原

Novi 諾維

O

Oldrich 歐里奇

Olem 歐蘭

Ondraus 昂卓斯

P

Pan-Deliv Canal 潘戴利芙運河

Parkside Flower Boutique 公園精品花店

Petrik 佩屈克

Pouli 包里

Powell 包威爾

Powder blind 火藥癮

Powder horns 牛角火藥筒／火藥筒

Powder keg 火藥桶

Powder mage 火藥法師

Powder trance 火藥狀態

powder charges 火藥條

Predeii 普戴伊人

Prielight Guard 牧光衛士

Prime Lektor 普蘭・雷克特

Privileged 榮寵法師

Proprietor 大業主

Provost 憲兵

R

Ranger 巡邏隊

Ricard Tumblar 理卡・譚伯勒

Riplas 莉普拉絲

Royal Cabal 皇家法師團

Rozalia 羅莎莉雅

Ruper 魯伯

S

Sabastenien 薩巴斯坦尼安

Sabon 薩邦

Salty Maiden 鹹處女

Saulkin 索爾金

Sergeant 中士

Shouldercrown Fortress 肩冠堡壘

SouSmith 索史密斯

South Pike Mountain 南矛山

Stewart 史都華

Surkov's Alley 瑟可夫谷

T

Tamas 湯瑪士

Taniel Two-Shot 雙槍坦尼爾

The Riflejacks 來福槍戰隊

third eye 第三眼

Tine 丁恩

U

Undersecretary 工會次長

V

Vidalslav 薇黛史雷芙

Vindren 文德倫

Vlora 芙蘿拉

W

Warden 勇衛法師

WatchMaster 守山人司令

Winceslav 溫史雷夫女士

Wine's End 紅酒盡頭

Wings of Adom 亞頓之翼

Wyn 懷恩

Z

Zakary 柴克利

火藥法師

❸ The Autumn Republic

秋色共和

The Powder Mage Trilogy

戰地元帥湯瑪士歷經艱難返回首都，卻發現誓死守衛的國家早已被外來勢力控制。與此同時，凱斯軍不顧和談協議，頻頻挑釁，甚至偷襲艾卓軍營。然而，這一切的背後似乎潛藏著更深的陰謀，一場毀滅性的行動正在悄然醞釀著……

——2025．1月 敬請期待！——

國家圖書館出版品預行編目資料

火藥法師. 2, 緋紅戰爭 / 布萊恩.麥克蘭(Brian McClellan)著 ; 戚建邦譯. -- 初版. -- 臺北市 : 蓋亞文化有限公司, 2024.12
冊 ; 公分. -- （Fever ; FR092）
譯自：Powder mage. book II, the crimson campaign
ISBN 978-626-384-129-1（下冊 : 平裝）

874.57 113013976

Fever 092

火藥法師〔2〕緋紅戰爭 The Crimson Campaign 下

作　　者　布萊恩・麥克蘭（Brian McClellan）
譯　　者　戚建邦
封面裝幀　莊謹銘
總 編 輯　沈育如
發 行 人　陳常智
出 版 社　蓋亞文化有限公司
地址：台北市 103 承德路二段 75 巷 35 號 1 樓
電話：02-2558-5438　傳真：02-2558-5439
電子信箱：gaea@gaeabooks.com.tw
投稿信箱：editor@gaeabooks.com.tw
郵撥帳號 19769541　戶名：蓋亞文化有限公司
法律顧問　宇達經貿法律事務所
總 經 銷　聯合發行股份有限公司
地址：新北市新店區寶橋路二三五巷六弄六號二樓
電話：02-2917-8022　傳真：02-2915-6275
港澳地區　一代匯集
地址：九龍旺角塘尾道 64 號龍駒企業大廈 10 樓 B&D 室
電話：+852-2783-8102　傳真：+852-2396-0050
初版一刷　2024年12月
定　　價　新台幣 390 元
Published and printed in Taiwan

ISBN 978-626-384-129-1
著作權所有・翻印必究
■本書如有裝訂錯誤或破損缺頁請寄回更換■

The Crimson Campaign
Copyright © 2014 by Brian McClellan
Complex Chinese language edition by Gaea Books Co. Ltd.
is published in agreement with Liza Dawson Associates LLC,
through The Grayhawk Agency.
All Rights Reserved.